U0127150

第七十六回　凸碧堂品笛感凄清　凹晶馆联诗悲寂寞

话说贾赦贾政带领贾珍等散去，不提。且说贾母这里命将围屏撤去，两席并作一席。众媳妇另行擦桌整果，更杯洗箸，陈设一番。贾母等都添了衣，盥漱吃茶，方又坐下，团团围绕。贾母看时，宝钗姊妹二人不在坐内，知他家去圆月；且李纨凤姐二人又病。少了这四个人，便觉冷清了好些。贾母因笑道：『往年你老爷们不在家，咱们越发请过姨太太来，大家赏月，却十分热闹。忽一时想起你老爷来，又不免想到母子夫妻儿女不能一处，也都没兴。及至今年，你老爷来了，正该大家团圆取乐，又不便请他们娘儿们来说笑说笑。况且他们今年又添了两口人，也难丢了他们，跑到这里来。偏又把凤丫头病了，有他一个人来说说笑笑，还抵得十个人的空儿：可见天下事总难十全。』（还蒙在鼓里吗？已不是一般的『事难十全』，而是千疮百孔了。）说毕，不觉长叹一声，随命：『拿大杯来斟热酒。』王夫人笑道：『今日得母子团圆，自比往年有趣。往年娘儿们虽多，终不似今年骨肉齐全的好。』贾母笑道：『正是为此，所以我才高兴，拿大杯吃酒。你们也换大杯才是。』邢夫人等只得换上大杯来。因夜深体乏，且不能胜酒，未免都有些倦意。无奈贾母兴犹未阑，只得陪饮。（乐得不免勉强。）贾母又命将毡毯铺在阶上，命将月饼、西瓜、果品等类都叫搬下去，令丫头媳妇们也都一一围坐赏月。

贾母因见月至天中，比先越发精彩可爱，因说：『如此好月，不可不闻笛。』因命又将十番上女子传来，贾母道：『音乐多了，反失雅致，只用吹笛的远远的吹起来，就够了。』说毕，刚才去吹时，只见跟邢夫人的媳妇走来向邢夫人说了两句话，贾母便问：『什么事？』邢夫人便回说：『方才大老爷出去，被石头绊了一下，歪了腿。』（更

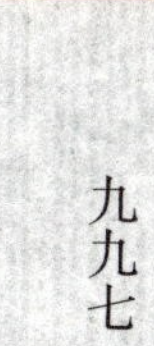

不顺了。）贾母听说，忙命两个婆子快看去，又命邢夫人快去。邢夫人遂告辞起身。贾母便又说：『珍哥媳妇也趁着便儿就家去罢，我也就睡了。』尤氏笑道：『我今日不回去了，定要和老祖宗吃一夜。』贾母笑道：『使不得。你们小夫妻家，今夜不要团团圆圆，如何为我耽搁了。』尤氏红了脸，笑道：『老祖宗说的我们太不堪了。我们虽是年轻，已经是二十来年的夫妻，也奔四十岁的人了。况且孝服未满，陪着老太太玩一夜是正理。』贾母听说，笑道：『这话很是。我倒也忘了孝未满。可怜你公公已死了二年多了，可是我倒忘了，该罚我一大杯。既这样，你就别去，竟陪着我罢。叫蓉儿媳妇送去，就顺便回去罢。』尤氏说了，贾蓉媳妇答应着，送出邢夫人，一同至大门，各自上车回去。不在话下。

这里众人赏了一回桂花，又入席换暖酒来。正说着闲话，猛不防那壁厢桂花树下，呜咽悠扬，吹出笛声来。趁着这明月清风，天空地静，真令人烦心顿释，万虑齐除，肃然危坐，默然相赏。（释烦、除虑——说听笛感受，很是。）听约两盏茶时，方才止住，大家称赞不已。于是遂又斟上暖酒来，贾母笑道：『果然好听么？』众人笑道：『实在可听！我们也想不到这样。须得老太太带领着，我们也得开些心儿。』贾母道：『这还不大好，须得拣那曲谱越慢的吹来越好听。』便命斟一大杯酒，送给吹笛之人，慢慢的吃了，再细细的吹一套来。媳妇们答应了，方送去，只见方才看贾赦的两个婆子回来说：『瞧了。右脚面上白肿了些，如今调服了药，疼的好些了，也无甚大关系。』（这些似乎可有可无的穿插，增加了生活实感，也给人以刹那祸福、诸事难顺、难保不意外的伤感。）贾母点头叹道：『我也太操心。打紧说我偏心，我反这样。』

说着，鸳鸯拿巾兜与大斗篷来，说：『夜深了，恐露水下了，风吹了头。坐坐也该歇了。』贾母道：『偏今儿高兴，你又来催。难道我醉了不成，偏到天亮！』（人从来都是不自由的。被孝、被伏侍就更不自由。）因命再斟酒来，一面戴上兜巾，披了斗篷，大家陪着又饮，说些笑话。只听桂花阴里又发出一缕笛音来，果然比先越发凄凉，大家都寂然而坐。（夜凉如水。只恐夜深花睡去。谁能阻挡黑夜？）夜静月明，众人不禁伤感，忙转身陪笑发语解释，又命换酒止笛。尤氏笑说道：『我也就学了一个笑话，说与老太太解解闷。』贾母勉强笑道：『这样更好，快说来我听。』尤氏乃说道：『一家子养了四个儿子：大儿子只一个眼睛，二儿子只一个耳朵，三儿子只一个鼻子眼，四儿子倒都齐全，偏又是个哑吧。』

正说到这里，只见席上贾母已朦胧双眼，似有睡去之态。（夜深人乏，欲逗笑也逗不起来，就在这样一个聋聋渺渺哑哑的气氛中蒙眬睡去，甚有气氛。）尤氏方住了，忙和王夫人轻轻叫请。贾母睁眼笑道：『我不困，白闭闭眼养神。你们只管说，我听着呢。』王夫人等道：『夜已深了，风露也大，请老太太安歇罢了。明日再赏，十六月色也好。』贾母道：『什么时候？』王夫人笑道：『已交四更。他们姊妹们熬不过，都去睡了。』贾母听说，细看了一看，果然都散了，只有探春一人在此。贾母笑道：『也罢。你们也熬不惯，况且弱的弱，病的病，去了倒省心。只是三丫头可怜，尚还等着。你也去罢，我们散了。』（说来归齐，还是得散。尤氏笑话，亦付阙如。无头公案，无尾笑话，人世诸事，又有什么头尾？）说着，便起身，吃了一口清茶，便坐竹椅小轿，两个婆子搭起，众人围随，出园去了。不在话下。（悲、喜、寂、热都是相反相成的。如中秋十五，赏不成月，吃不成酒，反无大意思。现这样最好，众人病的病，倦的倦，不在的不在，

败兴的败兴，偏贾母老祖宗兴致盎然，各位孝子孝孙孝媳孝奴必须承欢，欢又欢不成，散又散不成，别有一股子难受的劲儿。）

这里众媳妇收拾杯盘，却少了个细茶杯，各处寻觅不见，又问众人：『必是失手打了。撂在那里，告诉我，拿了磁瓦去交收，是证见，不然，又说偷起来了。』众人都说：『没有打碎，只怕跟姑娘的人打了，也未可知。你细想想，或问问他们去。』一语提醒了那媳妇，笑道：『是了。那一会记得是翠缕拿着的，我去问他。』说着便去找时，刚到了甬道，就遇见紫鹃和翠缕来了。翠缕便问道：『老太太散了？可知我们姑娘那里去了？』这媳妇道：『我来问你，一个茶钟那里去了，你倒问我要姑娘。』翠缕笑道：『我因倒茶给姑娘吃的，展眼回头，就连姑娘也没了。』那媳妇道：『太太才说，都睡觉去了。你不知那里玩去了，还不知道呢。』翠缕和紫鹃道：『断乎没有悄悄睡去之理，只怕在那里走了一走。如今老太太走了，赶过前边送去，也未可知。我们且往前边找去。有了姑娘，自然你的茶钟也有了。你明日一早再找罢，有什么忙的。』（赏月余波——寻茶钟，别一番懒洋洋、稀落落的样子。通过找茶钟一件无聊的事，把聚光改到湘云身上。）媳妇笑道：『有了下落，就不必忙了，明儿和你要罢。』说毕，回去查收家伙。这里紫鹃和翠缕便往贾母处来，不在话下。

原来黛玉和湘云二人并未去睡。只因黛玉见贾府中许多人赏月，贾母犹叹人少，又想宝钗姊妹家去，母女弟兄自去赏月，不觉对景感怀，自去倚栏垂泪。宝玉近因晴雯病势甚重，诸务无心，王夫人再四遣他去睡，他从此去了。（宝玉不是『喜聚不喜散』吗？可见不是绝对的。）探春又因近日家事恼着，无心游玩；虽有迎春惜春二人偏又素日不大甚合。所以只剩湘云一人宽慰他。因说：『你是个明白人，还不自己保养。可恨宝姐姐琴妹妹

天天说亲道热，早已说今年中秋，要大家一处赏月，必要起诗社，大家联句，到今日，便弃了咱们，自己赏月去了。（宝琴等在『红』中的地位，其实是虚晃一枪。有意避开。）社也散了，诗也不做了。倒是他们父子叔侄纵横起来。你可知宋太祖说得好：『卧榻之侧，岂容他人酣睡。』他们不来，咱们两个竟联起句来，明日羞他们一羞。』

黛玉见他这般劝慰，也不肯负他的豪兴，因笑道：『你看这里这等人声嘈杂，有何诗兴。』湘云笑道：『这山上赏月虽好，总不及近水赏月更妙。你知道这山坡底下就是池沿，山凹里近水一个所在，就是凹晶馆。可知当日盖这园子，就有学问。这山之高处，就叫凸碧；山之低洼近水处，就叫凹晶。这「凸」「凹」二字，历来用的人最少，如今直用作轩馆之名，更觉新鲜，不落窠臼。可知这两处，一上一下，一明一暗，一高一矮，一山一水，竟是特因玩月而设此处。有爱那山高月小的，便往这里来；有爱那皓月清波的，便往那里去。（这一段园林景致描写，十分动人。）只是这两个字俗念作「洼」「拱」二音，便说俗了，不大见用。只陆放翁用了一个「凹」字，「古砚微凹聚墨多」，还有人批他俗，岂不可笑？』黛玉道：『也不只放翁才用，古人中用者太多。如《青苔赋》，东方朔《神异经》，以至《画记》上云「张僧繇画一乘寺」的故事，不可胜举。只是今日不知，误作俗字用了。（不忘炫学。长篇小说给了作者以足够的空间，有什么鸡零狗碎都可以拿出来耍一耍。）实和你说罢，这两个字，还是我拟的呢。因那年试宝玉，宝玉拟了未妥，我们拟写出来，送与大姐姐瞧了，他又带出来，命给舅舅瞧过，所以都用了。（补叙此事。）如今咱们就往凹晶馆去。』

说着，二人同下山坡，只一转弯就是。池沿上一带竹栏相接，直通着那边藕香榭的路径。只有两个婆子上夜，

因知在凸碧山庄赏月，与他们无干，早已息灯睡了。黛玉湘云见息了灯，都笑道：『倒是他们睡了好，咱们就在卷篷底下赏这水月，何如？』（这大概与中国传统文化有关。『红』很少写一个人独处时的行思，我们确实缺少独处——privacy 的观念。写到『双处』也就相当于西洋小说里的写『独处』了。）

二人遂在两个竹墩上坐下，只见天上一轮皓月，池中一个月影，上下争辉，如置身于晶宫鲛室之内。微风一过，粼粼然池面皱碧叠纹，真令人神气清爽。湘云笑道：『怎么得这会子上船吃酒倒好。要是我家里这样，我就立刻坐船了。』黛玉道：『正是古人常说的：「事若求全何所乐。」据我说，这也罢了，偏要坐船起来？』（黛玉反而说服湘云，不可求全，可见她并非一味挑剔。）湘云笑道：『得陇望蜀，人之常情。』

正说间，只听笛韵悠扬起来。（与前半回共时。也是『花开两朵，各表一枝』。）黛玉笑道：『今日老太太、太太高兴了，这笛子吹得有趣，倒是助咱们的兴趣了。咱两个都爱五言，就还是五言排律罢。』湘云道：『限何韵？』黛玉笑道：『咱们数这个栏杆上的直棍，这头到那头为止，他是第几根，就是第几韵。』湘云笑道：『这倒别致。』于是二人起身，便从头数至尽头，止得十三根。湘云道：『偏又是「十三元」了。这个韵，可用的少，作排律，只怕牵强不能压韵呢。少不得你先起一句罢了。』黛玉笑道：『倒要试试咱们谁强谁弱，只是没有纸笔记。』湘云道：『明儿再写，只怕这一点聪明还有。』黛玉道：『我先起一句现成的俗语罢。』因念道：

三五中秋夕，

湘云想了一想，道：

　清游拟上元。撒天箕斗灿，

黛玉笑道：

　匝地管弦繁。几处狂飞盏？

湘云笑道：『这一句「几处狂飞盏」有些意思，这倒要对得好呢。』想了一想，笑道：

　谁家不启轩。轻寒风剪剪，

黛玉道：『好对！比我的却好。只是这句又说俗话了，就该加劲说了去才是。』湘云笑道：『诗多韵险，也要铺陈些才是。总有好的，且留在后头。』黛玉笑道：『到后头没有好的，我看你羞不羞。』因联道：

　良夜景暄暄。争饼嘲黄发，

湘云笑道：『这句不好，杜撰，用俗事来难我了。』黛玉笑道：『我说你不曾见过书呢，「吃饼」是旧典。《唐书》《唐志》，你看了来再说。』湘云笑道：『这也难不倒，我也有了。』因联道：

　分瓜笑绿媛。香新荣玉桂，

黛玉道：『这可是实实你的杜撰了。』湘云笑道：『明日咱们对查了出来，大家看看，这会子别耽搁工夫。』黛玉笑道：『虽如此，下句也不好，不犯又用「玉桂」「金兰」等字样来塞责。』因联道：

　色健茂金萱。蜡烛辉琼宴，

湘云笑道：『「金萱」二字，便宜了你，省了多少力。这样现成的韵，被你得了，只不犯着替他们颂圣去。况且

下句你也是塞责了。』黛玉笑道：『你不说「玉桂」，我难道强对个「金萱」罢？再也要铺陈些富丽，方是即景之实事。』（这些联诗，强调的是形式方面。富于对抗性的文字游戏。）湘云只得又联道：

　觥筹乱绮园。分曹尊一令，

黛玉笑道：『下句好，只难对些。』因想了一想，联道：

　射覆听三宣。骰彩红成点，

湘云笑道：『「三宣」有趣，竟化俗成雅了。只是下句又说上骰子。』少不得联道：

　传花鼓滥喧。晴光摇院宇，

黛玉笑道：『对得却好。下句又溜了，只管拿些风月来塞责。』湘云道：『究竟没说到月上，也要点缀点缀，方不落题。』（这种描叙，可以说也是一种『诗话』。）黛玉道：『且姑存之，明日再斟酌。』因联道：

　素彩接乾坤。赏罚无宾主，

湘云道：『又说到他们做什么，不如说咱们。』因联道：

　吟诗序仲昆。构思时倚槛，

黛玉道：『这可以入上你我了。』因联道：

　拟句或依门。酒尽情犹在，

湘云说道：『这时候了。』乃联道：

更残乐已谖。渐闻语笑寂，

黛玉说道：『这时候，可知一步难似一步了。』因联道：

空剩雪霜痕。阶露团朝菌，（乐残笑寂，霜痕朝菌，确实是衰败下去了。）

湘云道：『这一句怎么叶韵，让我想想。』因起身负手想了一想，笑道：『够了。幸而想出一个字来，不然，几乎败了。』因联道：

庭烟敛夕棔。秋湍泻石髓，

黛玉听了，不禁也起身叫妙，说：『这促狭鬼！果然留下好的。这会子方说「棔」字，亏你想得出。』湘云道：『幸而昨日看《历朝文选》，见了这个字，我不知是何树，因要查一查。宝姐姐说：「不用查，这就是如今俗叫做『朝开夜合』的。」我信不及，到底查了一查，果然不错。看来宝姐姐知道的竟多。』（钗不在而犹在。）黛玉笑道：『「棔」字用在此时更恰，也还罢了。只是「秋湍」一句，亏你好想！只这一句，别的都要抹倒。我少不得打起精神来对这一句，只是再不能似这一句了。』因想了一想道：

风叶聚云根。宝婺情孤洁，

湘云道：『这对得也还好。只是这一句，你也溜了，幸而是景中情，不单用「宝婺」来塞责。』因联道：

银蟾气吐吞。药催灵兔捣，（惜哉！湘云黛玉，似乎生活在脱离尘世的一个狭小的天地里。）

黛玉不语点头，半日遂念道：

王蒙评点

人向广寒奔。犯斗邀牛女，

湘云也望月点首，联道：

乘槎访帝孙。盈虚轮莫定，

黛玉道：『对句不好，合掌。下句推开一步，倒还是「急脉缓炙法」。』因又联道：

晦朔魄空存。壶漏声将涸，（脱离了生活，必不能从生活获得什么。）

湘云方欲联时，黛玉指池中黑影与湘云看道：『你看那河里，怎么像个人到黑影里去了，敢是个鬼？』湘云笑道：『可是又见鬼了。我是不怕鬼的，等我打他一下。』因弯腰拾了一块小石片，向那池中打去，只听打得水响，一个大圆圈将月影激荡，散而复聚者几次。只听那黑影里『嘎』的一声，却飞起一个白鹤来，直往藕香榭去了。（令人想起《后赤壁赋》来。）黛玉笑道：『原是他，猛然想不到，反吓了一跳。』湘云笑道：『正是这个鹤有趣，倒助了我了。』因联道：

窗灯焰已昏。寒塘渡鹤影，

黛玉听了，又叫好，又跺足，说：『了不得，这鹤真是助他的了！这一句更比「秋湍」不同，叫我对什么才好？「影」字只有一个「魂」字可对，况且「寒塘渡鹤」，何等自然，何等现成，何等有景，且又新鲜，我竟要搁笔了。』湘云笑道：『大家细想就有了，不然，就放着明日再联也可。』黛玉只看天，不理他，半日，猛然笑道：『你不必捞嘴，我也有了，你听听。』因对道：

冷月葬诗魂。

湘云拍手赞道：『果然好极，非此不能对。好个「葬诗魂」！』因又叹道：『诗固新奇，只是太颓丧了些。你现病着，不该作此过于凄清奇谲之语。』（有诗教在。说起来也是维护诗的健康品格。）黛玉笑道：『不如此，如何压倒你。只为用工在这一句了。』（果然对比鲜明。抄检一节与联诗一节，非诗与诗，混乱热闹与冷冷清清，俗与雅，实与虚，皆成对比。一个诗，写来写去，写出百般花样。以此次联诗与赏雪联诗一节相比，也是映比鲜明。使人产生一个怪念头：『坏人』似乎生活丰富，智力及语言都生气勃勃，而『好人』呢，除了做诗，行酒令，还是做诗，行酒令，能不凄清、寂寞吗？亦是暴风雨后的百花凋零景象。百花凋零，不一定都是风暴搞的，但都发生在风暴之后，更加莫可奈何。）

一语未了，只见栏外山石后转出一个人来，笑道：『好诗，好诗！果然太悲凉了，不必再往下做。若底下只这样去，反不显这两句了，倒弄得堆砌牵强。』二人不防，倒吓了一跳。细看时不是别人，却是妙玉。（葬诗魂而出妙玉。两人联句，既有趣又寂寞。乃出一妙玉，出一妙玉，反更寂寞矣。此亦『鸟鸣山更幽』之法。）二人皆诧异，因问：『你如何到了这里？』妙玉笑道：『我听见你们大家赏月，又吹得好笛，我也出来玩赏这清池皓月。顺脚走到这里，忽听见你们两个吟诗，更觉清雅异常，故此就听住了。只是方才我听见这一首中，有几句虽好，只是过于颓败凄楚。此亦关人之气数而有，所以我出来止住。（『气数』云云，如在冥冥之中。形而下的生活描写之中，出现了对于形而上的某种力量的感受。）如今老太太都早已散了，满园的人想俱已睡熟了，你两个的丫头还不知在那里找你们呢。你们也不怕冷了？快同我来，到我那里去吃杯茶，只怕就天亮了。』黛玉笑道：『谁知道就这个时候了。』（妙玉此时出现，黛

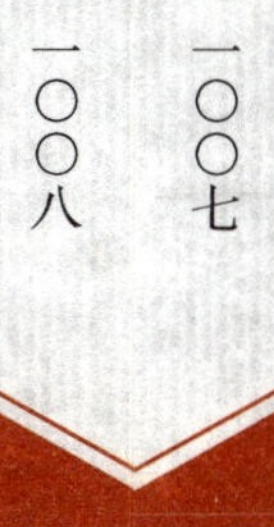

湘二人来到此地，皆最佳之处理，不易之笔墨。）

三人遂一同来至栊翠庵中。只见龛焰犹青，炉香未烬，几个老嬷嬷也都睡了，只有小丫头在蒲团上垂头打盹。妙玉唤他起来现烹茶。忽听扣门之声，小丫鬟忙去开门看时，却是紫鹃翠缕与几个老嬷嬷，来找他姊妹两个。进来见他们正吃茶，因都笑道：『叫我们好找！一个园里走遍了，连姨太太那里都找到了。那小亭里找时，可巧那里上夜的正睡醒了。我们问他们，他们说：「方才亭外头棚下两个人说话，后来又添了一个人，听见说，大家往庵里去。」我们就知道是这里了。』

妙玉忙命丫鬟引他们到那边去坐着歇息吃茶，自却取了笔砚纸墨出来，将方才的诗，命他二人念着，遂从头写出来。黛玉见他今日十分高兴，（妙玉十分高兴，比她十分别扭还不祥。）便笑道：『从来没见你这样高兴，我也不敢唐突请教。这还可以见教否？若不堪时，便就烧了；若或可改，即请改正改正。』妙玉笑道：『也不敢妄评。只是这才有二十二韵。我意思想着你二位警句已出，再续时，倒恐后力不加。我竟要续貂，又恐有玷。』黛玉从没见妙玉做过诗，今见他高兴如此，忙说：『果然如此，我们虽不好，亦可以带好了。』妙玉道：『如今收结，到底还归到本来面目上去。若只管丢了真情真事，且去搜奇检怪，一则失了咱们的闺阁面目，二则也与题目无涉了。』（『红……少女，诗品皆高，不但能做，而且能评。但诸评论总都有些为做诗而做诗的意思。）林史二人皆道：『极是。』妙玉提笔，一挥而就，递与他二人，道：『休要见笑。依我必须如此，方翻转过来。虽前头有凄楚之句，亦无甚碍了。』二人接了

看时，只见他续道：

香篆销金鼎，冰脂腻玉盆。
箫增嫠妇泣，衾倩侍儿温。
空帐悲金凤，闲屏投彩鸳。
露浓苔更滑，霜重竹难扪。
犹步萦纡沼，还登寂历原。
石奇神鬼缚，木怪虎狼蹲。
赑屃朝光透，罘罳晓露屯。
振林千树鸟，啼谷一声猿。
歧熟焉忘径？泉知不问源。
钟鸣栊翠寺，鸡唱稻香村。
有兴悲何极？无愁意岂烦？
芳情只自遣，雅趣向谁言！
彻旦休云倦，烹茶更细论。（妙玉诗才固佳，词句仍嫌堆砌。）

后书『右中秋夜大观园即景联句三十五韵』。

可以本回写笛声的一些话头形容这一回文字。抄检时波谲云诡，铙钹齐鸣，到此节，万念俱寂，一片空明，只剩了一件乐器的独奏。舞台转换，角色转换，布景与灯光、效果皆别一个天地。于是黛玉湘云，尤其妙玉，成了主角。一个美貌的带发修行的才女——尼姑，完成了联诗，而且说到气数。你能不怵然、嘿然吗？读后夜风月色，滞留心中，难以忘怀。

黛玉湘云二人称赞不已，说：『可见我们天天是舍近求远，现有这样诗人在此，却天天去纸上谈兵。』（也是天外有天之意。妙玉诗才，无法在赏雪赏梅的乱乱哄哄中一显身手。正可在此时此处。）妙玉笑道：『明日再润色。此时已天明了，到底也歇息歇息才是。』林史二人听说，便起身告辞，带领了丫鬟出来。妙玉送至门外，看他们去远，方掩门进来，不在话下。

这里翠缕向湘云道：『大奶奶那里还有人等着咱们睡去呢。如今还是那里去好？』湘云笑道：『你顺路告诉他们，叫他们睡罢。我这一去，未免惊动病人，不如闹林姑娘去罢。』说着，大家走至潇湘馆中，有一半人已睡去。二人进去，方卸妆宽衣，盥洗已毕，方上床安歇。紫鹃放下绡帐，移灯掩门出去。

谁知湘云有择席之病，虽在枕上，只是睡不着。黛玉又是个心血不足，常常失眠的，今日又错过困头，自然也是睡不着。二人在枕上翻来复去。黛玉因问道：『怎么还睡不着？』湘云微笑道：『我有个择席的病，况且走了困，只好躺躺儿罢。你怎么也睡不着？』黛玉叹道：『我这睡不着，也并非一日了。大约一年之中，通共也只好睡十夜满足的觉。』湘云道：『你这病就怪不得了。』（夜深，人静，无眠。中秋中秋，欲欢无欢，就这样逝去了。）要知端底，下回分解。

诗不诗无所谓，氛围写得极好，青春与寂寞共存，友好与冷漠同在，月夜充满阴影，谈笑不乏凄情，此景此时此人，泪沾襟矣。

第七十七回　俏丫鬟抱屈夭风流　美优伶斩情归水月

此回内容悲惨，但回目的拟定『俏丫鬟』『美优伶』如何，有点『不可承受之轻』。第一，我们的人本主义还很成问题。丫鬟、优伶，不能完全意识到她们是和主子一样的人。第二，中国的艺术重形式、程式，间离欣赏，把很悲惨的故事弄成带一点香艳、整齐对仗、颇有戏剧性的章回小说回目，变成赏心悦目的东西。这种状况最可以从京剧中得到启发，在京剧中，甚至杀人的故事故弄得极为『好看』。从尤三姐自刎的描写语言中亦可感到同类特点，与十九世纪欧洲的人道主义——现实主义传统不大相同。

话说王夫人见中秋已过，凤姐病也比先减了，虽未大愈，然亦可以出入行走得了，仍命大夫每日诊脉服药，又开了丸药方来，配调经养荣丸。因用上等人参二两，王夫人取时，翻寻了半日，只向小匣内寻了几枝簪挺粗细的。王夫人看了嫌不好，命再找去，又找了一大包须沫出来。王夫人焦躁道：『用不着偏有，但用着了，再找不着。成日家我叫你们查一查，都归拢一处，你们自不听，就随手混撂。』彩云道：『想是没了，就只有这个。上次那边的太太来寻了去了。』王夫人道：『没有的话，你再细找找。』彩云只得又去找寻，拿了几包药材来，说：『我们不认得这个，请太太自看。除了这个没有了。』（当年贾瑞病时需人参，凤姐故意刁难。如今，报应到自己头上来了。）

王夫人打开看时，也都忘了，不知都是什么，并没有一支人参。因一面遣人去问凤姐有无，凤姐来说：『也只有些参膏。芦须虽有几根，也不是上好的，每日还要煎药里用呢。』王夫人听了，只得向邢夫人那里问去。说道：『因上次没了，才往这里来寻，早已用完了。』王夫人没法，只得亲身过来请问贾母。（通过搜寻人参写出捉襟见肘的窘态。）贾母忙命鸳鸯取出当日余的来，竟还有一大包，皆有手指头粗细不等，遂秤了二两与王夫人。王夫人出来，交与周瑞家的拿去，令小厮送与医生家去，又命将那几包不能辨的药也带了去，命医生认了，各包号上。

一时，周瑞家的又拿进来，说：『这几样都各包号上名字了。但那一包人参，固然是上好的，只是年代太陈。这东西比别的大不同，凭是怎样好的，只过一百年后，就自己成了灰了。如今这个虽未成灰，然已成了糟朽烂木，也没有力量的了。（说明老太太那里也有了问题。如果老太太自己需要人参呢？是接着瞒下去还是骗下去呢？）请太太收了这个，倒不拘粗细，多少再换些新的倒好。』王夫人听了，低头不语，半日才说：『这可没法了，只好去买二两来罢。』也无心看那些，只命：『都收了罢。』因问周瑞家的：『你就去说给外头人们，拣好的换二两来。倘或一时老太太问你们，只说用的是老太太的，不必多说。』

周瑞家的方才要去时，宝钗因在坐，乃笑道：『姨娘且住。如今外头人参都没有好的，虽有全枝，他们也必截做两三段，镶嵌上芦泡须枝，搀匀了好卖，看不得粗细。我们铺子里常与参行交易，如今我去和妈说了，哥哥去托个伙计过去和参行里要他二两原枝来，不妨咱们多使几两银子，也得了好的。』（宝钗一方的实力，至少在人参问题上显示出来了。在关键时候宝钗站出来。宝钗是明白人。）王夫人笑道：『倒是你明白。但只还得你亲自走一趟，才能明白。』

于是宝钗去了，半日回来，说：『已遣人去，赶晚就有回音的。明日一早去配也不迟。』王夫人自是喜悦因说道：『「卖油的娘子水梳头」，自来家里有的，给人多少。这会子轮到自己用，反倒各处寻去。』（不足为奇。值得怵惕。且不可以为卖油的娘子用不完的油也。）说毕长叹。宝钗笑道：『这东西虽然值钱，总不过是药，原该济众散人才是。咱们比不得那没见世面的人家，得了这个，就珍藏密敛的。』王夫人点头道：『你这话也是。』（永远解心宽。宝钗最能安慰人，从积极处解释。但人们又需要激动火气一番，故宝钗此类言语有时反令人反感。）一时宝钗去后，因见无别人在室，遂唤周瑞家的，问：『前日园中搜检的事情，可得下落？』

周瑞家的是已和凤姐商议停妥，一字不隐，遂回明王夫人。王夫人吃了一惊，想到司棋系迎春丫头，乃系那边的人，只得令人去回邢氏。（抄检结果，对凤姐无不利处，正好拿出来交差。是只得回复邢氏，还是正好把球踢回去？）周瑞家的回道：『前日那边太太嗔着王善保家的多事，打了几个嘴巴子，如今他也装病在家，不肯出头了。（但愿王善保家的之流，多挨嘴巴。）况且又是他外孙女儿，自己打了嘴，他只好装个忘了，日久平服了再说。如今我们过去回时，恐怕又多心，倒像似咱们多事的。（周瑞家的所虑甚是。她是不是吸取了上次过于积极地为尤氏出气的教训？主子之间斗得太狠，对于奴才并不利——当然主子铁板一块也不利。）不如直把司棋带过去，一并连赃证与那边太太瞧了，不过打一顿配了人，再指个丫头来，岂不省事？如今白告诉去，那边太太再推三阻四的，又说：「既这样，你太太就该料理，又来说什么。」岂不倒耽搁了？倘或那丫头瞅空儿寻了死，反不好了。如今看了两三天，都有些偷懒，倘一时不到，岂不倒弄出

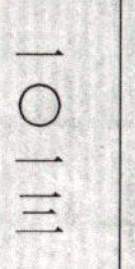

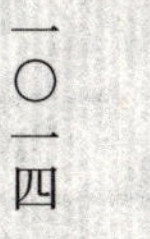

事来。』王夫人想了一想，说：『这也倒是。快办了这一件，再办咱们家的那些妖精。』（把自己不喜欢的人说成妖精，说成牛鬼蛇神，把斗争说成「人妖之间」的斗争，这种语言一脉相承，『红』已有之。）

周瑞家的听说，会齐了那边几个媳妇，先到迎春房里，回明迎春。迎春听了，含泪似有不舍之意。因前夜之事，丫头们悄悄说了原故，虽数年之情难舍，但事关风化，亦无可如何了。那司棋也曾求了迎春，实指望能救，只是迎春语言迟慢，耳软心活，是不能作主的。司棋见了这般，知不能免，因跪着哭道：『姑娘好狠心！哄了我这两日，如今怎么连一句话也没有？』周瑞家的说道：『你还要姑娘留你不成？便留下，你也难见园里的人了。依我们的好话，快快收了这样子，倒是人不知鬼不觉的去罢，大家体面些。』

迎春手里拿着一本书，正看呢，听了这话，书也不看，话也不答，只管扭着身子，呆呆的坐着。周瑞家的又催道：『这么大女儿，自己作的，还不知道？把姑娘都带的不好看，你还敢紧着缠磨他！』迎春听了，方发话道：『你瞧入画也是几年的，怎么说去就去了？自然不止你两个，想这园里凡大的都要去呢。依我说，将来总有一散，不如各人去罢。』（宝玉对晴雯被逐也是一个屁未放，何况迎春之于司棋？迎春的『总有一散论』从哲学上看是正确的，从人情上看，则差劲了。）周瑞家的道：『所以到底是姑娘明白。明儿还有打发的人呢，你放心罢。』

司棋无法，只得含泪与迎春磕头，和众人告别。又向迎春耳边说：『好歹打听我受罪，替我说个情儿，就是主仆一场！』迎春亦含泪答应：『放心。』于是周瑞家的等人，带了司棋出去，又有两个婆子，将司棋所有的东西，都与他拿着。走了没几步，只见后头绣橘赶来，一面也擦着泪，一面递与司棋一个绢包，说：『这是姑娘给你的。

主仆一场，如今一旦分离，这个与你做个想念罢。」司棋接了，不觉得更哭起来了，又和绣橘哭了一回。周瑞家的不耐烦，只管催促，二人只得散了。司棋因又哭告道：「婶子大娘们，好歹略徇个情儿，如今且歇一歇，让我到相好姊妹跟前辞一辞，也是这几年我们相好一场。」

周瑞家的等人皆各有事，做这些事，便是不得已了；况且又深恨他们素日大样，如今那里工夫听他的话？因冷笑道：「我劝你去罢，别拉拉扯扯的了。我们还有正经事呢。谁是你一个衣胞里爬出来的，辞他们做什么？你不过挨一会是一会，难道算了不成！依我说，快走罢。」（残酷无情至此！对于死刑犯人处决前也可以满足其一二要求呀！主不怜主，奴不怜奴，在这种环境里，倒是只有宝玉还有点同情心。）一面说，一面总不住脚，直带到后角门出去。司棋无奈，又不敢再说，只得跟着出来。

可巧正值宝玉从外头进来，一见带了司棋出去，又见后面又抱着些东西，料着此去再不能来了。因闻得上夜之事，又晴雯的病亦因那日加重，细问晴雯，又不说是为何。今见司棋亦走，不觉如丧魂魄，因忙拦住问道：「那里去？」周瑞家的等皆知宝玉素昔行为，又恐唠叨误事，因笑道：「不干你事，快念书去罢。」宝玉笑道：「姐姐们且站一站，我有道理。」周瑞家的便道：「太太吩咐不许少捱时刻，又有什么道理。我们只知道太太的话，管不得许多。」（经过中秋的过渡，联诗的凄清，人参的发窘，又回到窝里斗的人祸上来。）司棋见了宝玉，因拉住哭道：「他们做不得主，好歹求求太太去。」（想当初，司棋还敢在厨房搞打砸抢呢！）宝玉不禁也伤心，含泪说道：「我不知你做了什么大事，晴雯也气病着，如今你又要去了，这却怎么着好。」周瑞家的发躁向司棋道：「你如今不是副小

姐了，若不听说，我就打得你了。别想往日有姑娘护着，任你们作耗。越说着，还不好好的走！如今有了小爷见面，又拉拉扯扯，成何体统！」那几个妇人不由分说，拉着司棋便出去了。宝玉又恐他们去告舌，恨得只瞪着他们。看已走远了，方指着恨道：「奇怪，奇怪！怎么这些人，只一嫁了汉子，染了男人的气味，就这样混账起来，比男人更可杀了！」（当然只是表面现象。但确有此现象。一些已婚女人对于未婚女子的争取爱情的行为的深恶痛绝比男人尤甚，可能反映了她们自身的感情与性的饥渴、绝望、变态。）守园门的婆子听了，也不禁好笑起来，因问道：「这样说，凡女儿各各是好的了，女人个个是坏的了？」宝玉点头道：「不错，不错！」

正说着，只见几个老婆子走来，忙说道：「你们小心传齐了伺候着，此刻太太亲自到园里查人呢。」又吩咐：「快叫怡红院晴雯姑娘的哥嫂来，在这里等着，领出他妹子去。」因又笑道：「阿弥陀佛！今日天睁了眼，把这个祸害妖精退送了，大家清静些。」宝玉一闻得王夫人进来亲查，便料到晴雯也保不住了，早飞也似的赶了去，所以后来趁愿之话，竟未听见。

宝玉及到了怡红院，只见一群人在那里。王夫人在屋里坐着，一脸怒色，见宝玉也不理。晴雯四五日水米不曾沾牙，如今现在炕上拉了下来，蓬头垢面，两个女人搀架起来去了。王夫人吩咐：「把他贴身的衣服撂出去，余者留下，给好的丫头们穿。」（王夫人之可恶，远胜赵姨娘。只是作者出于对她的敬意，没把她写得那样不堪。）又命：「把这里所有的丫头们都叫来！」一一过目。

原来王夫人惟怕丫头们教坏了宝玉，乃从袭人起以至于极小的粗活小丫头们，个个亲自看了一遍。因问：「谁

是和宝玉一日的生日？』本人不敢答应，李嬷嬷指道：『这一个蕙香，又叫做四儿的，是同宝玉一日生日的。』

王夫人细看了一看，虽比不上晴雯一半，却有几分水秀，视其行止，聪明皆露在外面，且也打扮得不同。王夫人冷笑道：『这也是个没廉耻的货，他背地里说的同日生日就是夫妻，这可是你说的？打量我隔得远，都不知道呢！可知我身子虽不大来，我的心耳神意时时都在这里。（心耳神意是谁？最可能是袭人了。）难道我统共一个宝玉，就白放心凭你们勾引坏了不成？』这个四儿见王夫人说着他素日和宝玉的私语，不禁红了脸，低头垂泪。王夫人即命：『也快把他家人叫来，领出去配人。』又问：『那芳官呢？』芳官只得过来。王夫人道：『唱戏的女孩子，自然更是狐狸精了！（又是『自然』。她以为是何等天经地义！敌视『文艺工作者』，也是源远流长。）上次放你们，你们又不愿去，可就该安分守己才是；你就成精鼓捣起来，调唆宝玉，无所不为。』芳官笑辩道：『并不敢调唆什么。』王夫人笑道：『你还强嘴。你连你干娘都压倒了，岂止别人！』因喝命：『唤他干娘来领去！就赏他外头找个女婿罢。他的东西，一概给他。』吩咐：『上年凡有姑娘分的唱戏女孩儿们，一概不许留在园里，都令其各人干娘带出，自行聘嫁。』（王夫人做这些蛮不讲理的凶恶事情的时候，自以为充满着道德激情，一身正气呢。）一语传出，这些干娘皆感恩趁愿不尽，都约齐与王夫人磕头领去。

王夫人又满屋里搜检宝玉之物。凡略有眼生之物，一并命收卷起来，拿到自己房里去了。因说：『这才干净，省得旁人口舌。』又吩咐袭人麝月等人：『你们小心！往后再有一点分外之事，我一概不饶。因叫人查看了，今年不宜迁挪，暂且挨过今年，明年一并给我仍旧搬出去，才心净。』说毕，茶也不吃，遂带领众人，又往别处去阅人。暂且说不到后文。

如今且说宝玉只道王夫人不过来搜检搜检，无甚大事，谁知竟这样雷嗔电怒的来了。所责之事，皆系平日私语，一字不爽，料必不能挽回的。虽心下恨不能一死，但王夫人盛怒之际，自不敢多言。（自抄检以来，宝玉一屁未放。他当然抵挡不住王夫人的寡然正气加主观主义，但归根结底，婢子毕竟还是奴才，死后烧个香，活时探个病，他也就做得够好、够超常的了。）一直跟送王夫人到沁芳亭，王夫人命：『回去好生念念那书！仔细明儿问你，才已发下狠了。』

宝玉听如此说，才回来，一路打算：『谁这样犯舌？况这里事也无人知道，如何就都说着了？』一面想，一面进来，只见袭人在那里垂泪。且去了第一等的人，岂不伤心？便倒在床上大哭起来。袭人知他心里别的犹可，独有晴雯是第一件大事，乃劝道：『哭也不中用。你起来，我告诉你，晴雯已经好了，他这一家去，倒心净养几天。你果然舍不得他，等太太气消了，你再求老太太，慢慢的叫进来，也不难。太太不过偶然听了别人的闲话，在气头上罢了。』宝玉道：『我究竟不知晴雯犯了什么弥天大罪！』袭人道：『太太只嫌他生的太好了，未免轻狂些。太太是深知这样美人似的人，心里是不能安静的，所以很嫌他，像我们这粗粗笨笨的倒好。』（袭人要替太太做出解释，又要保持超脱，不能卷入，更不能站在太太一边得罪了宝玉。）宝玉道：『美人似的，心里就不安静么？你那里知道，古来美人安静的多着呢！这也罢了，咱们私自玩话，怎么也知道了？又没外人走风，这可奇怪了。』袭人道：『你有什么忌讳的？一时高兴，你就不管有人没人了。我也曾使过眼色，也曾递过暗号，被那人知道了，你还不觉。』宝玉道：『怎么人人的不是，太太都知道了，单不挑出你和麝月秋纹来？』（宝玉已疑袭人，只是并无证据。）

袭人听了这话，心内一动，低头半日，无可回答，因便笑道：『正是呢。若论我们，也有玩笑不留心的去处，怎么太太竟忘了？想是还有别的事，等完了，再发放我们，也未可知。』宝玉笑道：『你是头一个出了名的至善至贤的人，（此话厉害。）他两个又是你陶冶教育的，焉得有什么该罚之处！只是芳官尚小，过于伶俐些，未免倚强，压倒了人，惹人厌。四儿是我误了他，还是那年我和你拌嘴的那日起，叫上来做细活的，众人见我待他好，未免夺了地位，也是有的，故有今日。只是晴雯，也是和你们一样从小儿在老太太屋里过来的，虽生得比人强，也没什么妨碍着谁的去处；就只是他的性情爽利，口角锋芒，竟也没见他得罪了那一个。（最疑处在这里。）可是你说的，想是他过于生得好了，反被这个好带累了。』说毕，复又哭起来。

袭人细揣此话，直是宝玉有疑他之意，竟不好再劝，因叹道：『天知道罢了。此时也查不出人来了，白哭一会子，也无益了。』宝玉冷笑道：『原是想他自幼娇生惯养的，何尝受过一日委屈，如今是一盆才透出嫩箭的兰花送到猪圈里去一般。（此话不对。你这里才是猪圈！狗窝！狼穴！）况又是一身重病，里头一肚子闷气。他又没有亲爹热娘，只有一个醉泥鳅姑舅哥哥。他这一去，那里还等得一月半月？再不能见一面两面的了！』说着，越发心痛起来。

袭人笑道：『可是你「自许州官放火，不许百姓点灯」。我们偶说一句妨碍的话，你就说不吉利，你如今好好的咒他，就该的了！』宝玉道：『我不是妄口咒人，今年春天已有兆头的。』袭人忙问：『何兆？』宝玉道：『这阶下好好的一株海棠花，竟无故死了半边，我就知道有坏事，果然应在他身上。』袭人听了，又笑起来，说：『我

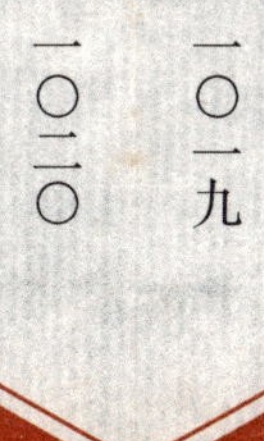

要不说，又掌不住，你也太婆婆妈妈的了。这样的话，怎么是你读书的人说的。』宝玉叹道：『你们那里知道，不但草木，凡天下有情有理的东西，也和人一样，得了知己，便极有灵验的。（也是一种朴素的天人感应论。）若用大题目比，就像孔子庙前桧树、坟前的蓍草，诸葛祠前的柏树，岳武穆坟前的松树：这都是堂堂正大之气，千古不磨之物。世乱，他就枯干了；世治，他就茂盛了，凡千年枯了又生的几次。这不是应兆么？若是小题目比，就像杨太真沉香亭的木芍药，端正楼的相思树，王昭君坟上的长青草，难道不也有灵验？所以这海棠亦是应着人生的。』（宝玉的杂学歪理极多，不需论证，更无需实验，想怎么信就怎么断定。）

袭人听了这篇痴话，又可笑，又可叹，因笑道：『真真的这话越发说上我的气来了。那晴雯是个什么东西，就费这样心思，比出这些正经人来！还有一说，他总好，也越不过我的次序去。就是这海棠，也该先来比我，也还轮不到他。想是我要死的了。』宝玉听说，忙掩他的嘴，劝道：『这是何苦！一个未清，你又这样起来。罢了，再别提这事，别弄得去了三个，又饶上一个。』袭人听说，心下暗喜道：『若不如此，也没个了局。』

宝玉又道：『我还有一句话要和你商量，不知你肯不肯，现在他的东西，是「瞒上不瞒下」，悄悄的送还他去。再或有咱们常日积攒下的钱，拿几吊出去，给他养病，也是你姊妹好了一场。』袭人听了，笑道：『你太把我看得忒小器又没人心了。这话还等你说，我才把他的衣裳各物已打点下了，放在那里。如今白日里，人多眼杂，又恐生事，且等到晚上，悄悄的叫宋妈给他拿去。我还有攒下的几吊钱，也给他去。』宝玉听了，点点头儿。袭人笑道：『我原是久已「出名的贤人」，连这一点子好名还不会买去不成！』（给以适当回应，亦真亦伪，亦嘲亦叹。）

宝玉听了他方才说的，又陪笑抚慰他，怕他寒了心。晚间，果遣宋妈送去。

解放后受两条路线、两个阶级的斗争模式的影响，评者多痛恨袭人，并坐定袭人谗害晴雯之罪。当然罪之有理。从袭人角度来看，也有下列因素可研究：一、是宝玉不开袭人，袭人在宝玉跟前仍是最成功的。二、是晴雯锋芒过露，自取其祸。三、认同既定规范（哪怕只是口头认同），袭人才能自保，也才能为宝玉出谋划策打掩护。四、袭人做得留有余地，网开一面，尽可能照顾各方。五、袭人也是奴才，毕竟是王夫人做的主而不是袭人。六、起码在大搜检一事上，袭人并未推波助澜，火上浇油。七、袭人甚有嫌疑，但毕竟没有完全坐实，要不要『无罪推定』呢？八、这也是一种优胜劣败的竞争。并不是袭人自己，而是社会与传统使袭人与晴雯实际处于竞争的地位，而竞争，自有其并不脉脉含情的一面。

宝玉将一切人稳住，便独自得便，到园子后角门，央一个老婆子，带他到晴雯家去。先这婆子百般不肯，只说怕人知道，『回了太太，我还吃饭不吃饭！』无奈宝玉死活央告，又许他些钱，那个婆子方带了他去。（宝玉探晴雯一节，脍炙人口，是真情，是屈尊，是痴，是知其不可而为之，宝玉的特点正在他的言行的非功利性。）

却说这晴雯当日系赖大买的。还有个姑舅哥哥，叫做吴贵，人都叫他贵儿。那时晴雯才得十岁，时常赖嬷嬷带进来，贾母见了喜欢，故此，赖嬷嬷就孝敬了贾母。过了几年，赖大又给他姑舅哥哥娶了一房媳妇。谁知贵儿一味胆小老实，那媳妇却倒伶俐，又兼有几分姿色，看着贵儿无能为，便每日家打扮的妖妖调调，两只眼儿水汪汪的，招惹的赖大家人如蝇逐臭，渐渐做出些风流勾当来。那时晴雯已在宝玉房中，他便央及了晴雯，转求凤姐，合赖大家的要过来。目今两口儿就在园子后角门外居住，伺候园中买办杂差。

这晴雯一时被撵出来，住在他家。那媳妇那里有心肠照管？吃了饭，便自去串门子，只剩下晴雯一人在外间屋内爬着。宝玉命那婆子在外了望，他独掀起布帘进来，一眼就看见晴雯睡在一领芦席上，幸而被褥还是旧日铺盖的，心内不知自己怎么才好，因上来含泪伸手，轻轻拉他，悄唤两声。当下晴雯又因着了风，又受了哥嫂的歹话，病上加病，嗽了一日，才朦胧睡了。忽闻有人唤他，强展双眸，一见是宝玉，又惊又喜，又悲又痛，一把死攥住他的手。哽咽了半日，方说道：『我只道不得见你了。』（主子如此俯就，奴才便被逼死了还得感恩。）接着便嗽个不住。宝玉也只有哽咽之分。（所谓『怜香惜玉』，仍然不是对人的同情。）晴雯道：『阿弥陀佛！你来得好，且把那茶倒半碗我喝。渴了半日，叫半个人也叫不着。』宝玉听说，忙拭泪问：『茶在那里？』晴雯道：『在炉台上。』宝玉看时，虽有个黑煤乌嘴的吊子，也不像个茶壶。只得桌上去拿了一个碗，未到手内，先闻得油膻之气。宝玉只得拿了来，先拿些水，洗了两次，复用自己的绢子拭了，闻了闻，还有些气味，没奈何，提起壶来斟了半碗，看时，绛红的，也不大像茶。（对平民的生活描写得如此不堪，作者哪有什么新意识？）晴雯扶枕道：『快给我喝一口罢！这就是茶了。那里比得咱们的茶呢！』（封建贵族垄断了一切财富与享受，离开了贵族也就离开了『文明』富裕的生活。这就是宁愿做奴婢的原因。）宝玉听说，先自己尝了一尝，并无茶味，咸涩不堪，只得递与晴雯。只见晴雯如得了甘露一般，一气都灌下去了。

这是站在贵公子的立场上写的，看望晴雯，用自己的手帕为晴雯擦茶碗，侍候晴雯喝茶，似乎也就对得起她了。而晴雯生、死，也都为的是宝玉一人。被贵公子所『爱』，比被贵公子所冷谈还要危险，下场还要悲惨。王夫人盛怒，宝玉为何不大闹一场？可以装疯，

可以半真半假地自杀，总是有得闹的，即使于事无补也罢。最终，他还是离不开王夫人，离不开袭人，离不开封建秩序为他部署的既定轨道。）

宝玉看着，眼中泪直流下来，连自己的身子都不知为何物了，一面问道：『你有什么说的，趁着没人，告诉我。』晴雯呜咽道：『有什么可说的！不过是挨一刻是一刻，挨一日是一日。我已知横竖不过三五日的光景，我就好回去了。只是一件，我死也不甘心：我虽生得比别人好些，并没有私情勾引你，怎么一口死咬定了我是个「狐狸精」！我今日既担了虚名，况且没了远限，不是我说一句后悔的话，早知如此，我当日……』说到这里，气往上咽，便说不出来，两手已经冰凉。（中国的男女之防，害人何深！）宝玉又痛，又急，又害怕。便歪在席上，一只手攥着他的手，一只手轻轻的给他捶打着。又不敢大声的叫，真真万箭攒心。

两三句话时，晴雯才哭出来。宝玉拉着他的手，只觉瘦如枯柴，腕上犹戴着四个银镯。因哭道：『除下来，等好了再戴上去罢。』又说：『这一病好了，又伤好些。』晴雯拭泪，把那手用力拳回，搁在口边，狠命一咬，只听『咯吱』一声，把两根葱管一般的指甲，齐根咬下，拉了宝玉的手，将指甲搁在他手中；又回手扎挣着，连揪带脱，在被窝内，将贴身穿着的一件旧红绫小袄儿脱下，递给宝玉。（这种表达感情的方式也很特别。不能相爱真爱，只能移情交情友情。）不想虚弱透了的人，那里禁得这么抖搂，早喘成一处了。

宝玉见他这般，已经会意，连忙解开外衣，将自己的袄儿褪下来，盖在他身上，却把这件穿上，不及扣钮子，只用外头衣服掩了。刚系腰时，只见晴雯睁眼道：『你扶起我来坐坐。』宝玉只得扶他。那里扶得起，好容易欠起半身，晴雯伸手把宝玉的袄儿往自己身上拉。宝玉连忙给他披上，拖着肐膊，伸上袖子，轻轻放倒，然后将他的指甲装在荷包里。晴雯哭道：『你去罢！这里腌臜，你那里受得，你的身子要紧。今日这一来，我就死了，也不枉担了虚名。』

一语未完，只见他嫂子笑嘻嘻掀帘进来道：『好呀！你两个的话，我已都听见了。』又向宝玉道：『你一个做主子的，跑到下人房里来做什么？看着我年轻长的俊，你敢只是来调戏我么？』（不忘随时拉出个恶俗的来垫背、对比。）

宝玉听见，吓得忙陪笑央及道：『好姐姐，快别大声的。他伏侍我一场，我私自来瞧瞧他。』那媳妇儿点着头儿，笑道：『怨不得人家都说你有情有义儿的。』便一手拉了宝玉进里间来，笑道：『你要不叫我嚷，这也容易，你只是依我一件事。』说着，便自己坐在炕沿上，把宝玉拉在怀中，紧紧的将两条腿夹住。（这种动物性的表演，是晴雯情谊的反衬。）

宝玉那里见过这个，心内早突突的跳起来了，急得满面红胀，身上乱战，又羞又愧，又怕又恼，只说：『好姐姐，别闹。』那媳妇也斜了眼儿，笑道：『呸！成日家听见你在女孩儿们身上做工夫，怎么今儿个就发起赸来了？』宝玉红了脸，笑道：『姐姐撒开手，有话咱们慢慢儿的说。外头有老妈妈听见，什么意思呢？』那媳妇那里肯放，笑道：『我早进来了，已经叫那老婆子去到园门口儿等着呢。我等什么儿似的，今日才等着你了。你要不依我，我就嚷起来。叫里头太太听见了，我看你怎么样！你这么个人，只这么大胆子儿。我刚才进来了好一会子，在窗下细听，屋内只你两个人，我只道有些个体己话儿。这样看起来你们两个人竟还是各不相扰儿呢。我可不能像他那么傻。』（『红』从不回避或省略这些低俗场景，问题在于，它正视了低俗，同时十分强烈地表现了纯洁与美好、高雅与终极。低俗不可怕，可怕的是只剩下了低俗。）说着，就要动手。宝玉急的死往外拽。

这些描写有烘托晴雯的可怜可悲下场的含意，也充满着视平民生活为猪狗不如的贵族意识。

正闹着，只听窗外有人问道：『晴雯姐姐在这里住呢不是？』那媳妇子也吓了一跳，连忙放了宝玉。这宝玉已经吓怔了，听不出声音。外边晴雯听见他嫂子缠磨宝玉，又急，又臊，又气，一阵虚火上攻，早昏晕过去。那媳妇连忙答应着，出来看，不是别人，却是柳五儿和他母亲两个抱着一个包袱，柳家的拿着几吊钱。悄悄的问那媳妇道：『这是里头袭姑娘叫拿出来给你们姑娘的。他在那屋里呢？』那媳妇儿笑道：『就是这个屋子，那里还有屋子。』

那柳家的领着五儿，（五儿未能进入宝玉近侍行列，反保全了自己。塞翁失马，安知非福。）刚进门来，只见一个人影儿往屋里一闪。柳家的素知这媳妇子不妥，只打量是他的私人。看见晴雯睡着了，连忙放下，带着五儿，便往外走。谁知五儿眼尖，早已见是宝玉，便问他母亲道：『头里不是袭人姐姐那里悄悄儿的找宝二爷呢吗？』柳家的道：『嗳哟！可是忘了。方才老宋妈说：「见宝二爷出角门来了。门上还有人等着，要关园门呢。」』因回头问那媳妇儿，那媳妇儿自己心虚，便道：『宝二爷那里肯到我们这屋里来？』柳家的听说，便要走。这宝玉一则怕关了门，二则怕那媳妇子进来又缠，也顾不得什么了，连忙掀了帘子出来道：『柳嫂子，你等等我，一路儿走。』柳家的听了，倒唬了一大跳，说：『我的爷，你怎么跑了这里来了？』那宝玉也不答言，一直飞走。（即使千情万意，还是赶紧回贾府去。）那柳五儿道：『妈，你快叫住宝二爷不用忙，仔细冒冒失失，被人碰见，

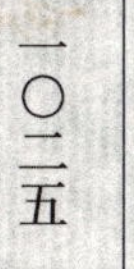

倒不好。况且才出来时，袭人姐姐已经打发人留了门了。』说着，赶忙同他妈来赶宝玉。这里晴雯的嫂子干瞅着，把个妙人儿走了。

却说宝玉跑进角门，才把心放下来，还是突突乱跳。又怕五儿关在外头，眼巴巴瞅着他母女也进来了。远远听见里边嬷嬷们正查人，若再迟一步，就关了园门了。宝玉进入园中，且喜无人知道，到了自己房内，告诉袭人，只说在薛姨妈家去的，也就罢了。（生死亦大矣，情爱亦深矣，行为亦险矣，故探晴雯这样一件非宏大的叙事，也有些惊心动魄。）一时铺床，袭人不得不问：『今日怎么睡？』宝玉道：『不管怎么睡罢了。』原来这一二年间，袭人因王夫人看重了他，越发自要尊重，凡背人之处，或夜晚之间，总不与宝玉狎昵，较先小时，反倒疏远了。虽无大事办理，然一应针钱，并宝玉及诸小丫头出入银线衣履什物等事，也甚烦琐，且有吐血之症，故近来夜间总不与宝玉同房。宝玉夜间胆小，醒了便要唤人，因晴雯睡卧警醒，故夜间一应茶水，起坐呼唤之事，悉皆委他一人，所以宝玉外床只是晴雯睡着。他今去了，袭人只得将自己铺盖搬来，铺设床外。（人去床空，无比怅惘。）

宝玉发了一晚上的呆。袭人催他睡下，然后自睡。只听宝玉在枕上长吁短叹，复去翻来，直至三更以后，方渐渐安顿了。袭人方放心，也就蒙眬睡着。没半盏茶时，只听宝玉叫：『晴雯。』袭人忙连声答应，问：『做什么？』宝玉因要茶吃。袭人倒了茶来，宝玉乃笑道：『我近来叫惯了他，却忘了是你。』袭人笑道：『他乍来，你也曾睡梦中叫我的，以后才改了。』（淡化矛盾，化解矛盾，但脸皮委实不薄。试想，如是晴雯侍候，宝玉梦唤袭人，晴雯不会是这等反应的。）说着，大家又睡下。宝玉又翻转了一个更次，至五更方睡去时，只见晴雯从外走来，仍是往日形景，进

来向宝玉道：『你们好生过罢，我从此就别过了。』说毕，翻身就走。宝玉忙叫时，又将袭人叫醒。袭人还只当他惯了口乱叫，却见宝玉哭了，说道：『晴雯死了。』袭人笑道：『这是那里话！叫人听着，什么意思。』宝玉那里肯听？恨不得一时亮了就遣人去问信。

及至亮时，就有王夫人房里小丫头叫开前角门，传王夫人的话：『「即时叫起宝玉，快洗脸，换了衣裳快来，因今儿有人请老爷赏秋菊，老爷因喜欢他前儿做的诗好，故此要带他们去。」这都是太太的话儿，你们快告诉去，立逼他快来，老爷在上屋里等他们吃面茶呢。环哥儿已来了，快快儿的去罢。我去叫兰哥儿去了。』里面的婆子听一句，应一句，一面扣着钮子，一面开门。袭人听得叩门，便知有事，一面命人问时，自己已起来了。听得这话，忙催人来舀了洗脸水，催宝玉起来梳洗，他自去取衣。因思跟贾政出门，便不肯拿出十分出色的新鲜衣服来，只拣那三等成色的来。宝玉此时已无法，只得忙忙前来。果然贾政在那里吃茶，十分喜悦。宝玉请了早安，贾环贾兰二人也都见过。贾政命坐吃茶，向环兰二人道：『宝玉读书，不及你两个，论题联和诗这种聪明，你们皆不及他。今日此去，未免叫你们做诗，宝玉须随便助他们两个。』

王夫人自来不曾听见这等考语，真是意外之喜。（王夫人自以为在保护和教育第二代方面自己立了奇勋。）一时，候他父子去了，方欲过贾母那边来时，就有芳官等三个干娘走来，回说：『芳官自前日蒙太太的恩典赏了出去，他就疯了似的，茶饭都不吃，勾引上藕官蕊官，三个人寻死觅活，只要铰了头发做尼姑去。我只当是小孩子家，一时出去不惯，也是有的，不过隔两日就好了。谁知越闹越凶，打骂着也不怕。实在没法，所以来求太太，或是依他

们去做尼姑去，或教导他们一顿，赏给别人做女孩儿去罢。我们没这福。』王夫人听了道：『胡说！那里由得他们起来，佛门也是轻易进去的么？每人打一顿给他们，看还闹不闹！』（王夫人恶于毒蛇猛兽。）

晴雯、芳官，实为宝玉处众丫头的尖子。木秀于林，风必摧之。锋芒太露，终无善果。贾政卫道，责宝玉。王夫人卫道，只责『妖精』。这里显然有一种与俄狄浦斯等情结逆向的更加乖张的情结，不是『娶母』『恋父』而是『杀子』『杀女』。大观园已经腐烂混乱到这步田地了，作者仍把大观园外的平民生活写得那样腌臜、粗鄙、不堪忍受。作者的同情绝对不在下人、平民一边。王夫人与凤姐，都是有血债的。但凤姐血债是为了除掉对手，为了弄权，而王夫人的血腥记录，却是主观主义没来由的道德激情与刚愎自用。凤姐犹可说，王夫人则只是一味蛮不讲理。

当下因八月十五日，各庙内上供去，皆有各庙内的尼姑来送供尖，因曾留下水月庵的智通与地藏庵的圆信住下未回，听得此信，就想拐两个女孩子去做活使唤，都向王夫人说：『府上到底是善人家，因太太好善，所以感应得这些小姑娘们皆如此。虽然说「佛门容易难上」，也要知道「佛法平等」。我佛立愿，原度一切众生。如今两三个姑娘既然无父母，家乡又远，他们既经了这富贵，又想从小命苦，入了风流行次，将来知道终身怎么样，所以「苦海回头」，立意出家，修修来世，也是他们的高意。太太倒不要阻了善念。』（去虎口乎？改狼窝乎？留蛇洞乎？茫茫天地，哪有天真活泼美貌的女演员们的出路？戕害青春，戕害人性，戕害美，以王夫人为代表的封建礼教果然该死。谁能责怪五四新文化运动过于偏激了呢？）

王夫人原是个善人，起先听见这话，谅系小孩子不遂心的话，将来熬不得清净，反致获罪。今听了这两个拐

子的话，（两个拐子云云，按『红』的风格，本可以说得更含蓄些。如今顾不上含蓄了，表达了作者的痛惜心情。）大近情理；且近日家中多故，又有邢夫人遣人过来知会，明日接迎春家去住两日，以备人家相看；且又有官媒来求说探春等，心绪正烦，那里着意在这些小事？既听此言，便笑答道：『你两个既这等说，你们就带了做徒弟去，如何？』二姑子听了，念一声佛道：『善哉，善哉！若如此，可是老人家的阴德不小。』说毕，便稽首拜谢。王夫人道：『既这样，你们问他去。若果真心，即上来当着我拜了师父去罢。』

这三个女人听了出去，果然将他三人带来。王夫人问之再三，他三人已立定主意，遂与两个姑子叩了头，又拜辞了王夫人。王夫人见他们意皆决断，知不可强了，反倒伤心可怜，忙命人来取了些东西来赏了他们，又送了两个姑子些礼物。从此芳官跟了水月庵的智通，蕊官藕官二人跟了地藏庵圆信，各自出家去了。（『红』中人物的两大出路：死亡与出家。）要知后事，下回分解。

以愚蠢、横蛮、狠毒、死硬、变态为标志进行的剿杀青春、扑灭生命、翦除美丽的大战之后，死伤遍地，天怒人怨，分崩离析，一切都是适得其反。

第七十八回　老学士闲征姽婳词　痴公子杜撰芙蓉诔

话说两个尼姑领了芳官等去后，王夫人便往贾母处来。见贾母喜欢，便趁便回道：（寻找时机，以求操纵。王夫人也是作假汇报，欺上压下。）『宝玉屋里有个晴雯，那个丫头也大了，而且一年之间，病不离身；我常见他比别人分

外淘气，也懒；前日又病倒了十几天，叫大夫瞧，说是女儿痨，所以我就赶着叫他下去了。若养好了，也不用叫他进来，就赏他家配人去也罢了。再那几个学戏的女孩子，我也做主放了。一则他们都会戏，口里没轻没重，只会混说，女孩儿们听了，如何使得？二则他们唱会子戏，白放了他们，也是应该的。况丫头们也太多，若说不够使，再挑上几个来，也是一样。』（成了恩典。她在贾母那里不敢逞凶。）

贾母听了，点头道：『这是正理，我也正想着如此。但晴雯那丫头，我看他甚好，言谈针线都不及他，将来还可以给宝玉使唤的。谁知变了。』王夫人笑道：『老太太挑中的人原不错，只是他命里没造化，所以得了这个病。俗语又说：「女大十八变。」况且有本事的人，未免就有些调歪。（又是『精英淘汰，择劣选拔』！）老太太还有什么不曾经历过的？三年前，我也就留心这件事，先只取中了他。我留心看去，他色色比人强，只是不大沉重。知大体，莫若袭人第一。虽说贤妻美妾，也要性情和顺，举止沉重的更好些。袭人的模样虽比晴雯次一等，然放在房里，也算是一二等的。况且行事大方，心地老实，这几年从未同着宝玉淘气。凡宝玉十分胡闹的事，他只有死劝的。因此，品择了二年，一点不错了，我悄悄的把他丫头的月钱止住，我的月分银子里批出二两银子来给他。（特殊补贴。）不过使他自己知道，越发小心效好之意。且没有明说，一则宝玉年纪尚小，老爷知道了，又恐说耽误了书；二则宝玉自以为自己跟前的人，不敢劝他说他，反倒纵性起来。所以直到今日，才回明老太太。』贾母听了，笑道：『原来这样，如此更好了。袭人本来从小儿不言不语，我只说是「没嘴的葫芦」。既是你深知，岂有大错误的。』王夫人又回今日贾政如何夸奖，如何带他们逛去。贾母听了，更加喜悦。

从这一段谈话看来，贾母原是倾向于高评价晴雯，至少胜过袭人的。好个王夫人，竟然花言巧语，谎报实情，蒙蔽老太太，先斩后奏，自行其是！其品质也够呛了。

一时，只见迎春妆扮了前来告辞过去。凤姐也来请早安，伺候早饭。又说笑一回，贾母歇晌，王夫人便唤了凤姐，问他丸药可曾配来。凤姐道：『还不曾呢，如今还是吃汤药。太太只管放心，我已大好了。』王夫人见他精神复初，也就信了，因告诉撵逐晴雯等事。又说：『宝丫头怎么私自回家去了，你们都不知道？我前儿顺路都查了一查。谁知兰小子的这一个新进来的奶子也十分的妖调，也不喜欢他。我说与你大嫂子了，好不好，叫他各自去罢。（王夫人仇视美。除美务尽。宁可错逐十个，决不姑息一个。）我因问你大嫂子：「宝丫头出去，难道你不知道不成？」他说是告诉了他的，不两三日，等姨妈病好了，就进来。姨妈究竟没甚大病，不过是咳嗽腰疼，年年是如此的。他这去的必有原故，敢是有人得罪了他不成？那孩子心重，亲戚们住一场，别得罪了人，反不好了。』凤姐笑道：『谁可好好的得罪着他？』王夫人道：『别是宝玉有嘴无心，从来没个忌讳，高了兴，信嘴胡说，也是有的。』凤姐笑道：『这可是太太过于操心了。若说他，出门去干正经事，说正经话去，却像傻子；若只叫他进来，在这些姊妹跟前，以至于大小的丫头跟前，最有仁让，又恐怕得罪了人，那是再不得有人恼他的。我想薛妹妹此去必为着前夜搜检众丫头的原故。他自然为信不及园里的人，他又是亲戚，现也有丫头老婆在内，我们又不好去搜检了，恐我们疑他，所以多了这个心，自己回避了。也是应该避嫌疑的。』（薛去了，也是此时无声胜有声。这算是凤姐的婉转进言。凤姐不赞成王夫人——王善保家的抄检计划，她迟早会有所流露的。终于收到了使王夫人『低头一想』的效果。）

王蒙评点

王夫人听了这话不错，自己遂低头一想，便命人去请了宝钗来，分晰前日的事，以解他的疑心，又仍命他进来照旧居住。宝钗陪笑道：『我原要早出去的，因姨妈有许多大事，所以不便来说。可巧前日妈妈又不好了，家里两个靠得的女人又病，所以我趁便去了。姨妈今日既已知道了，我正好回明，就从今日辞了，好搬东西。』王夫人凤姐都笑道：『你太固执了。正经再搬进来为是，休为没要紧的事反疏远了亲戚。』宝钗笑道：『这话说的太重了，并没为什么事要出去。我为的是妈妈近来神思比先大减，而且夜晚没有得靠的人，统共只我一人；二则如今我哥哥眼看娶嫂子，多少针线活计，并家里一切动用器皿，尚有未齐备的，我也须得帮着妈妈去料理料理。姨妈和凤姐姐都知道我们家的事，不是我撒谎。（宝钗坚持并无他意，与己方便，与人方便，自是上上策。毕竟大观园是乌托邦，可以观赏，不可久居。）再者，自我在园里，东南上小角门子就常开着，原是为我走的，保不住出入的人图省走路，也从那里走。又没个人盘查，设若从那里弄出事来，岂不两碍。而且我进园里来睡，原不是什么大事。因前几年年纪都小，且家里没事，在外头不如进来，姊妹们在一处玩笑作针线，都比在外头一人闷坐好些。如今彼此都大了，况姨娘这边历年皆遇不遂心之事，所以那园子里，倘有一时照顾不到的，皆有关系。惟有少几个人，就可以少操些心了。所以今日不但我决意辞去，此外还要劝姨娘，如今该减省的就减省些，也不为失了大家的体统。据我看，园里的这一项费用也竟可以免的，说不得当日的话。（宝钗此话，终于也曲折表达了对于抄检事件的看法——她无意批评抄检，但更要求以紧缩措施治本。倒是黛玉，怎会对抄检一事不闻不问不说不响？）姨娘深知我家的，难道我家当日也是这样零落不成？』（原来都已走向零落，原来零落成了大趋势。）凤姐听了这篇话，便向王夫人笑道：『这话依我竟不必强他。』

王夫人点头道：『我也无可回答，只好随你的便罢了。』

说话之间，只见宝玉已回来了，因说：『老爷还未散，恐天黑了，所以先叫我们回来了。』王夫人忙问：『今日可丢了丑了没有？』宝玉笑道：『不但不丢丑，拐了许多东西来。』（宝玉得意而笑，仍然是乃父乃母的好儿子！）接着就有老婆子们从二门上小厮手内接进东西来。王夫人一看时，只见扇子三把，扇坠三个，笔墨共六匣，香珠三串，玉绦环三个。宝玉说道：『这是梅翰林送的，那是杨侍郎送的，这是李员外送的，每人一分。』说着，又向怀中取出一个檀香小护身佛来，说：『这是庆国公单给我的。』王夫人又问在席何人，做何诗词。说毕，只将宝玉一分，令人拿着，同宝玉、环、兰，前来见贾母。贾母看了，喜欢不尽，不免又问些话。无奈宝玉一心记着晴雯，答应完了，便说：『骑马颠了，骨头疼。』贾母便说：『快回房去，换了衣服，疏散疏散就好了，不许睡。』宝玉听了，便忙进园来。

当下麝月秋纹已带了两个丫头来等候，见宝玉辞了贾母出来，秋纹便将墨笔等物拿着，随宝玉进园来。宝玉满口里说：『好热！』一壁走，一面便摘冠解带，将外面的大衣服都脱下来，麝月拿着，只穿着一件松花绫子夹袄，襟内露出血点般大红裤子来，秋纹见这条红裤是晴雯针线，因叹道：『真是「物在人亡」了。』麝月将秋纹拉了一把，笑道：『这裤子配着松花色袄儿，石青靴子，越显出靛青的头，雪白的脸来了。』宝玉在前，只装没听见，又走了两步，便止步道：『我要走一走，这怎么好？』麝月道：『大白日里，还怕什么？还怕丢了你不成！』因命两个小丫头跟着，『我们送了这些东西去再来。』宝玉道：『好姐姐，等一等我再去。』麝月道：『我们去了就来。

两个人手里都有东西，倒像摆执事的，一个捧着文房四宝，一个捧着冠袍带履，成个什么样子！』

宝玉听了，正中心怀，便让他二人去了。他便带了两个小丫头到一块山子石后头，悄问他二人道：『自我去了，你袭人姐姐打发人去瞧晴雯姐姐没有？』这一个答道：『打发宋妈瞧去了。』宝玉道：『回来说什么？』小丫头道：『回来说，晴雯姐姐直着脖子叫了一夜，今日早起，就闭了眼，住了口，世事不知，只有倒气的分儿了。』（其状极惨。王夫人的血债。）宝玉忙道：『一夜叫的是谁？』小丫头道：『一夜叫的是娘。』宝玉拭泪道：『还叫谁？』小丫头道：『没有听见叫别人了。』宝玉道：『你糊涂，想必没有听真。』（想入非非。叫娘是现实主义。叫别的是浪漫主义。）

傍边那一个小丫头最伶俐，听宝玉如此说，便上来说：『真个他糊涂。』又向宝玉说：『不但我听得真切，我还亲自偷着看去的。』宝玉听说，忙问：『怎么又亲自看去？』小丫头道：『我因想，晴雯姐姐素日与别人不同，待我们极好。如今他虽受了委屈出去，我们不能别的法子救他，只亲去瞧瞧，也不枉素日疼我们一场。就是人知道了，回了太太，打我们一顿，也是愿受的。所以我拼着一顿打，偷着出去瞧了一瞧。谁知他平生为人聪明，至死不变，见我去了，便睁开眼拉我的手问：「宝玉那去了？」我告诉他了。他叹了一口气，说：「不能见了。」我就说：「姐姐何不等一等他回来见一面？」他就笑道：「你们不知道，我不是死，如今天上少了一位花神，玉皇爷命我去管花儿。我如今在未正二刻就上任去了，宝玉须得未正三刻才到家，只少得一刻儿的工夫，不能见面。世上凡有该死的人，阎王勾取了去，是差些个小鬼来捉人魂魄。若要迟延一时半刻，不过烧些纸钱，浇些浆饭，那鬼只顾抢钱去了，该死的人就可少待个工夫。我这如今是天上的神仙来召请，岂可挨得时刻？』（假作真时真亦假，

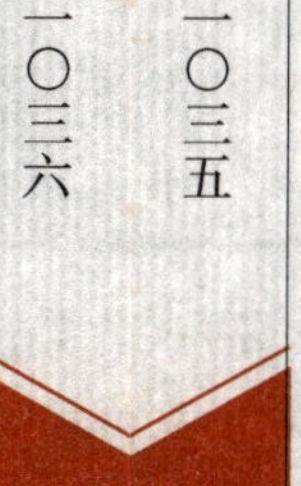

胡言乱语中有真情在焉。）我听了这话，竟不大信。及进来到屋里，留神看时辰表，果然是未正二刻，他咽了气，正三刻上，就有人来叫我们，说你来了。』（编得极贴切圆满，好个伶俐小丫头。）宝玉忙道：『你不认得字，所以不知道，这原是有的。不但花有一花神，还有总花神。但他不知做总花神去了，还是单管一样花神？』（小丫头是假，宝玉是真，假真契合。）这丫头听了，一时诌不来。恰好这是八月时节，园中池上芙蓉正开，这丫头便见景生情，忙答道：『我已曾问他：「是管什么花的神？告诉我们，日后也好供养的。」他说：「你只可告诉宝玉一人，除他之外，不可泄了天机。」就告诉我说，他是专管芙蓉花的。』（越是胡诌越是对景，一对百对，枪枪十环，小说乎？小说也。真切乎？真切也。）

宝玉听了这话，不但不为怪，亦且去悲生喜，便回过头来，看着那芙蓉笑道：『此花也须得这样一个人去主管。我就料定，他那样的人必有一番事业。虽然超生苦海，从此再不能相见了，免不得伤感思念。』因又想：『虽然临终未见，如今且去灵前一拜，也算尽这五六年的情意。』（得到安慰了，还是更加惆怅了呢？）想毕，忙至房中，正值麝月秋纹找来。

此节小丫头谎言极有味道。对于小丫头来说，纯粹信口开河，是假。对于宝玉来说，恰合他的幻想、愿望、思路，他对于这个谎言的充分相信，是真。当人们对待真实毫无办法的时候，幻想便会应运而生。不能没有幻想。当真实与人们背道而驰的时候，幻想表现着人，幻想就是人，而文学常常就包含着这样的幻想。美是幻想。美是纪念。美是『自欺欺人』。小丫头在进行着文学创作，她的创作受到了美的接受者贾宝玉的激赏，因为她的创作符合宝玉的美学理想，美学规范，而且包含童心。这是幻想的美，文学的美。

这又是幻想的可怜，文学的可怜，美的可悲可怜乃至可笑！读了这一段，哭乎？笑乎？叹乎？嘲乎？摇头乎？惋惜乎？反正更加令人惆怅。信手拈来，毫不费力，曹雪芹的笔当真成了精了！）

宝玉又自穿戴了，只说去看黛玉，遂一人出园，往前次看望之处来，意为停柩在内。谁知他哥嫂见他一咽气，便回了进去，希图早些得几两发送例银。王夫人闻知，便命赏了十两银子，又命：『即刻送到外头焚化了罢，女子痨死的，断不可留！』（火葬，『红』已有之。）他哥嫂听了这话，一面得银，一面催人立刻入殓，抬往城外化人厂上去了。剩的衣裳簪环，约有三四百金之数，他哥嫂自收了，为后日之计。二人将门锁上，一同送殡去了。

宝玉走来，扑了一个空，站了半天，并无别法，只得复身进入园中。及回至房中，甚觉无味。（『甚觉无味』四字，也是宝玉生活的总结的一个方面。）因顺路来找黛玉，不在房中，问其何往，丫鬟们回说：『往宝姑娘那里去了。』宝玉又至蘅芜院中，只见寂静无人，房内搬的空空落落，不觉吃一大惊，才想起前日仿佛听见宝钗要搬出去，只因这两日工课忙，就混忘了。这时看见如此，才知道果然搬出。怔了半天，因转念一想：『不如还是和袭人厮混，再与黛玉相伴。只这两三个人，只怕还是同死同归。』（是这样么？谁能掌握自己的命运？）想毕，仍往潇湘馆来，偏黛玉还未回来。正在不知所之，忽见王夫人的丫头进来找他，说：『老爷回来了，找你呢，又得了好题目了。快走，快走。』宝玉听了，只得跟了出来。到王夫人房中，他父亲已出去了，王夫人命人送宝玉至书房中。

彼时贾政正与众幕友们谈论寻秋之胜，又说：『临散时，忽谈及一事，最是千古佳谈，「风流隽逸，忠义感慨」，八字皆备。倒是个好题目，大家要做一首挽词。』（本来就此去写宝玉的诔晴雯一节最顺，偏偏插入贾政谈将军一节，真是故意打岔，平添枝节，却又成全了长篇小说的丰富性与立体性。文章千古事，得乎失乎，寸心难知。）众幕宾听了，都请教：『系何等妙事？』

贾政乃道：『当日曾有一位王爵，封曰恒王，出镇青州。这恒王最喜女色，且公余好武，因选了许多美女，日习武事，令众美女学习战攻斗伐之事。内中有个姓林行四的，姿色既佳，且武艺更精，皆呼为林四娘。恒王最得意，遂超拔林四娘统辖诸姬，又呼为姽婳将军。』众清客都称：『妙极神奇。竟以「姽婳」下加「将军」二字，反更觉妩媚风流，真绝世奇文也！想这恒王也是千古第一风流人物了。』（似乎是怕你沉溺在晴雯之死所引发的悲哀愤怒里。于是写一个伟大的殉国殉夫女英雄，隔岸观火，隔岸赏火，突出了距离感。观赏态度。）

贾政笑道：『这话自然如此。但更有可奇可叹之事。』众清客都惊问道：『不知底下有何等奇事？』贾政道：『谁知次年便有「黄巾」「赤眉」一干流贼余党，复又乌合，抢掠山左一带。恒王意为犬羊之辈，不足大举，因轻骑进剿。不意贼众诡谲，两战不胜，恒王遂被众贼所戮。于是青州城内，文武官员，各各皆谓：「王尚不胜，你我何为？」遂将有献城之举。林四娘得闻凶信，遂聚集众女将，发令说道：「你我皆向蒙王恩，戴天履地，不能报其万一。今王既殒身国患，我意亦当殒身于下。尔等有愿随者，即同我前往；不愿者，亦早自散去。」众女将听他这样，都一齐说：「愿意！」于是林四娘带领众人，连夜出城，直杀至贼营。里头众贼不防，也被斩杀了几个首贼。后来大家见是不过几个女人，料不能济事，遂回戈倒兵，奋力一阵，把林四娘等一个不曾留下，倒作成了这林四娘的一片忠义之志。后来报至中都，天子百官，无不叹息。想其朝中自然又有人去剿灭，天兵一到，

化为乌有，不必深论。只就林四娘一节，众位听了，可羡不可羡？』（与『红』的扬女抑男的想法一致。也是舍身取义之意。）

众幕友都叹道：『实在可羡可奇！实是个妙题，原该大家挽一挽才是。』（可羡、妙题云云，略显轻浮。）说着，早有人取了笔砚，按贾政口中之言，稍加改易了几个字，便成了一篇短序，递与贾政看了。贾政道：『不过如此。他们那里已有原序。昨日因又奉恩旨，着察核前代以来应加褒奖而遗落未经奏请各项人等，无论僧尼、乞丐、女妇人等，有一事可嘉，即行汇送履历至礼部，备请恩奖。（对各种『另类』也招安一番。）所以他这原序也送往礼部去了。大家听了这新闻，所以都要做一首《姽婳词》，以志其忠义。』众人听了，都又笑道：『这原该如此。只是更可羡者，本朝皆系千古未有之旷典，可谓「圣朝无阙事」了。』贾政点头道：『正是。』（看来，长篇巨著中写点废话，舒缓一下节奏，亦无不可。）

说话间，宝玉、贾环、贾兰俱起身来看了题目。贾政命他三人各吊一首，谁先做成者赏，佳者额外加赏。贾环贾兰二人近日当着许多人皆做过几首了，胆量愈壮。今看了题目，遂自去思索。一时，贾兰先有了，贾环生恐落后，也就有了。二人皆已录出，宝玉尚自出神。贾政与众人且看他二人的二首。贾兰的是一首七言绝句，写道是：

姽婳将军林四娘，玉为肌骨铁为肠。

捐躯自报恒王后，此日青州土尚香。（不痛不痒，蜻蜓点水。）

众幕宾看了，便皆大赞：『小哥儿十三岁的人，就如此，可知家学渊深，真不诬矣。』贾政笑道：『稚子口角，也还难为他。』又看贾环的，是首五言律，写道是：

红粉不知愁，将军意未休。
掩啼离绣幕，抱恨出青州。
自谓酬王德，谁能复寇仇？
好题忠义墓，千古独风流。（尽落窠臼。）

众人道：『更佳！到底大几岁年纪，立意又自不同。』贾政道：『倒还不甚大错，终不恳切。』众人道：『这就罢了。三爷才大不多几岁，俱在未冠之时。如此用心做去，再过几年，怕不是大阮小阮了么。』贾政笑道：『过奖了。只是不肯读书的过失。』因问宝玉。众人道：『二爷细心镂刻，定又是风流悲感，不同此等的了。』

宝玉笑道：『这个题目似不称近体，须得古体，或歌或行，长篇一首，方能恳切。』（论体裁与题材的关系。）

众人听了，都立起身来，点头拍手道：『我说他立意不同！每一题到手，必先度其体格宜与不宜，这便是老手妙法。这题目名曰《姽婳词》，且既有了序，此必是长篇歌行，方合体式。或拟温八叉《击瓯歌》，或拟李长吉《会稽歌》，或拟白乐天《长恨歌》，或拟咏古词，半叙半咏，流利飘逸，始能尽妙。』贾政听说，也合了主意，遂自提笔向纸上要写。又向宝玉笑道：『如此甚好。你念，我写。若不好了，我捶你的肉。谁许你先大言不惭的！』宝玉只得念了一句道：

恒王好武兼好色，（再卖弄一下古体。）

贾政写了看时，摇头道：『粗鄙。』一幕友道：『要这样方古，究竟不粗。且看他底下的。』贾政道：『姑存之。』

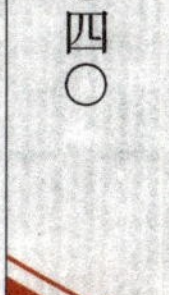

宝玉又道：

遂教美女习骑射；
秾歌艳舞不成欢，列阵挽戈为自得。（令人想起《琵琶行》来。）

贾政写出，众人都道：『只这第三句便古朴老健，极妙。这第四句平叙，也最得体。』贾政道：『休谬加奖誉，且看转的如何。』宝玉念道：

眼前不见尘沙起，将军俏影红灯里。

众人听了这两句，便都叫：『妙！好个「不见尘沙起」！又承了一句「俏影红灯里」，用字用句，皆入神化了。』

宝玉道：

叱咤时闻口舌香，霜矛雪剑娇难举。

众人听了更拍手笑道：『越发画出来了。当日敢是宝公也在坐，见其娇而且闻其香？不然，何体贴至此。』宝玉笑道：『闺阁习武，任其勇悍，怎似男人？不问而可知娇怯之形了。』贾政道：『还不快续！这又有你说嘴的了。』宝玉只得又想了一想，念道：

丁香结子芙蓉绦，

众人都道：『转「萧」韵更妙，这才流利飘逸。而且这句子也绮靡秀媚得妙。』贾政写了，道：『这一句不好，已有过了「口舌香」、「娇难举」，何必又如此？这是力量不加，故又弄出这些堆砌货来搪塞。』（贾政的诗评很有道理，明知其为词藻点缀，已觉次一等了。）宝玉笑道：『长歌也须得要些词藻点缀点缀；不然，便觉萧索。』贾政道：『你只顾说那些，这一句底下如何转至武事呢？若再多说两句，岂不蛇足了。』宝玉道：『如此，底下一句兜转煞住，想也使得。』贾政冷笑道：『你有多大本领？上头说了一句大开门的散话，如今又要一句连转带煞，岂不心有余而力不足呢？』宝玉听了，垂头想了一想，说了一句道：

不系明珠系宝刀。

忙问：『这一句可还使得？』众人拍案叫绝。贾政笑道：『且放着，再续。』宝玉道：『使得，我便一气连下去了；若使不得，索性涂了，我再想别的意思出来，再另措词。』贾政听了，便喝道：『多话！不好了再做，便做十篇百篇，还怕辛苦了不成！』宝玉听说，只得想了一会，便念道：

战罢夜阑心力怯，脂痕粉渍污鲛绡。

贾政道：『这又是一段了。底下怎么样？』宝玉道：

明年流寇走山东，强吞虎豹势如蜂；

众人道：『好个「走」字！便见得高低了。且通句转的也不板。』（这一类的评论，总觉细枝末节，说不到点子上。）宝玉又念道：

王率天兵思剿灭，一战再战不成功；
腥风吹折陇中麦，日照旌旗虎帐空。

青山寂寂水澌澌，正是恒王战死时；
雨淋白骨血染草，月冷黄昏鬼守尸。

众人都道：『妙极，妙极！布置，叙事，词藻，无不尽美。（尽美，但无多少真情实感。）且看如何至四娘，必另有妙转奇句。』宝玉又念道：

纷纷将士只保身，青州眼见皆灰尘；
不期忠义明闺阁，愤起恒王得意人。

众人都道：『铺叙得委婉。』贾政道：『太多了，底下只怕累赘呢。』宝玉又道：

恒王得意数谁行，姽婳将军林四娘；
号令秦姬驱赵女，秾桃艳李临疆场。
绣鞍有泪春愁重，铁甲无声夜气凉；
胜负自难先预定，誓盟生死报前王。
贼势猖獗不可敌，柳折花残血凝碧；
马践胭脂骨髓香，魂依城郭家乡隔。
星驰时报入京师，谁家儿女不伤悲！
天子惊慌愁失守，此时文武皆垂首。

何事文武立朝纲，不及闺中林四娘！
我为四娘长叹息，歌成余意尚彷徨。（带有应试意味，咬文嚼字地去歌颂一个实不相干的杰出女子。）

念毕，众人都大赞不止。又从头看了一遍。贾政笑道："虽说了几句，到底不大恳切。"（以宝玉的世界观、生死观，以他对『文死谏武死战论』的抨击，他对林四娘事应做出怎样的真诚评价呢？贾政说此诗到底不大恳切，是对的。）因说："去罢。"三人如放了赦的一般，一齐出来，各自回房。（以这一段奉父命出题做文（诗），与下一段真情做诔相对比。这样一来，既丰富了结构，更丰富了品种，写到为文做诗，又增补了新的体例。以文论文，以小说论文，犹如戏中之戏，电影中的放映（或拍摄）电影。这是有点现代的手法。『红』多次用之，以炫其才。）

众人皆无别话，不过至晚安歇而已。独有宝玉一心凄楚，回至园中，猛见池上芙蓉，想起小丫鬟说晴雯做了芙蓉之神，不觉又喜欢起来，乃看着芙蓉，嗟叹了一会。忽又想起："死后并未至灵前一祭，如今何不在芙蓉前一祭，岂不尽了礼？"想毕，便欲行礼。忽又止道："虽如此，亦不可太草率了，须得衣冠整齐，奠仪周备，方为诚敬。"想了一想："古人云，'潢污行潦，荇藻苹蘩之贱，可以羞王公，荐鬼神。'原不在物之贵贱，只在心之诚敬而已。然非自作一篇诔文，这一段凄惨酸楚，竟无处可以发泄了。"（这一段自我解释实为曹公恐读者挑眼而代为做的解释。）因用晴雯素日所喜之冰鲛縠一幅，楷字写成，名曰《芙蓉女儿诔》，前序后歌；又备了晴雯素喜的四样吃食。于是黄昏人静之时，命那小丫头捧至芙蓉前，先行礼毕，将那诔文即挂于芙蓉枝上，乃泣涕念曰：

维太平不易之元，蓉桂竞芳之月，无可奈何之日，怡红院浊玉，谨以群花之蕊、冰鲛之縠、沁芳之泉、枫露之茗：四者虽微，聊以达诚申信，乃致祭于白帝宫中抚司秋艳芙蓉女儿之前曰：（摆出一副穷酸的做文章的样子，便丧失了如火如冰的悲剧感。）

窃思女儿自临人世，迄今凡十有六载。其先之乡籍姓氏，湮沦而莫能考者久矣。而玉得于衾枕栉沐之间，栖息宴游之夕，亲昵狎亵，相与共处者，仅五年八月有奇。忆女曩生之昔，其为质则金玉不足喻其贵，其为体则冰雪不足喻其洁，其为神则星日不足喻其精，其为貌则花月不足喻其色。姊娣悉慕媖娴，妪媪咸仰慧德。（尽情颂扬，不遗余力。）孰料鸠鸩恶其高，鹰鸷翻遭罦罬；薋葹妒其臭，茝兰竟被芟鉏！花原自怯，岂奈狂飙？柳本多愁，何禁骤雨？（最尖锐的话无非这几句。）偶遭蛊虿之谗，遂抱膏肓之疾。故樱唇红褪，韵吐呻吟；杏脸香枯，色陈顑颔。诼谣謑诟，出自屏帏；荆棘蓬榛，蔓延窗户。（谴责了进谗者，却未谴责信谗者。）既怀幽沉于不尽，复含同屈于无穷。高标见嫉，闺闱恨比长沙；贞烈遭危，巾帼惨于雁塞。自蓄辛酸，谁怜夭折？仙云既散，芳趾难寻。洲迷聚窟，何来却死之香？海失灵槎，不获回生之药。（悲则悲矣，愤则愤矣，止于舞文弄墨焉。）眉黛烟青，昨犹我画；指环玉冷，今倩谁温？鼎炉之剩药犹存，襟泪之余痕尚渍。镜分鸾影，愁开麝月之奁；梳化龙飞，哀折檀云之齿。委金钿于草莽，拾翠盒于尘埃。楼空鳷鹊，徒悬七夕之针；带断鸳鸯，谁续五丝之缕？况乃金天属节，白帝司时，孤衾有梦，空室无人。桐阶月暗，芳魂与倩影同消；蓉帐香残，娇喘共细腰俱绝。（越掉文，越没了真火真气。太文了，便隔了一层。）连天衰草，岂独蒹葭；匝地悲声，无非蟋蟀。（这里的『无非』，用得并不贴切。）露阶晚砌，穿帘不度寒砧；雨荔秋垣，隔院希闻怨笛。芳名未泯，檐前鹦鹉犹呼；艳质将亡，槛外海棠预萎。捉迷屏后，莲瓣无声；斗草庭前，兰芳枉待。抛残绣线，银笺彩袖谁裁？褶断冰丝，金斗御香未熨。昨承严命，既趋车而远陟芳园；今犯慈威，复拄杖而遣抛孤柩。及闻蕙棺被燹，顿违共穴之情；石椁成灾，愧逮同灰之诮。（生不同室，死难共穴，缘分已尽，夫复何为！）尔乃西风古寺，淹滞青磷；落日荒丘，零星白骨。楸榆飒飒，蓬艾萧萧。隔雾圹以啼猿，绕烟塍而泣鬼。岂道红绡帐里，公子情深；始信黄土陇中，女儿命薄！汝南泪血，斑斑洒向西风；梓泽余衷，默默诉凭冷月。呜呼！固鬼蜮之为灾，岂神灵之有妒？毁诐奴之口，讨岂从宽？剖悍妇之心，忿犹未释！（悍妇云胡？敢指王夫人么？还是迁怒于旁人呢？）在卿之尘缘虽浅，而玉之鄙意尤深。因蓄惓惓之思，不禁谆谆之问。始知上帝垂旌，花宫待诏，生侪兰蕙，死辖芙蓉。听小婢之言，似涉无稽；据浊玉之思，深为有据。何也？昔叶法善摄魂以撰碑，李长吉被诏而为记，事虽殊其理则一也。故相物以配才，苟非其人，恶乃滥乎？始信上帝委托权衡，可谓至洽至协，庶不负其所秉赋也。因希其不昧之灵，或陟降于兹，特不揣鄙俗之词，有污慧听。乃歌而招之曰：

「天何如是之苍苍兮，乘玉虬以游乎穹窿耶？地何如是之茫茫兮，驾瑶象以降乎泉壤耶？望盖缴之陆离兮，抑箕尾之光耶？列羽葆而为前导兮，卫危虚于傍耶？驱丰隆以为庇从兮，望舒月以临耶？听车轨而伊轧兮，御鸾鹥以征耶？闻馥郁而飘然兮，纫蘅杜以为佩耶？斓裙裾之烁烁兮，镂明月以为珰耶？借葳蕤而成坛畤兮，檠莲焰以烛兰膏耶？文瓠瓟以为觯斝兮，洒醽醁以浮桂醑耶？瞻云气而凝眸兮，仿佛有所觇耶？俯波痕而属耳兮，恍惚有所闻耶？期汗漫而无际兮，捐弃予于尘埃耶？倩风廉之为余驱车兮，冀联辔而携归耶？余中心为之慨然兮，徒

嗷嗷而何为耶？卿偃然而长寝兮，岂天运之变于斯耶？既窀穸且安稳兮，反其真而又奚化耶？余犹桎梏而悬附兮，灵格余以嗟来耶？来兮止兮，卿其来耶？」

若夫鸿蒙而居，寂静以处，虽临于兹，余亦莫睹。搴烟萝而为步障，列苍蒲而森行伍。警柳眼之贪眠，释莲心之味苦。素女约于桂岩，宓妃迎于兰渚。弄玉吹笙，寒簧击敔。征嵩岳之妃，启骊山之姥。龟呈洛浦之灵，兽作咸池之舞。潜赤水兮龙吟，集珠林兮凤翥。爰格爰诚，匪簠匪筥。发轫乎霞城，还旌乎元圃，既显微而若通，复氤氲而修阻。离合兮烟云，空蒙兮雾雨。尘霾敛兮星高，溪山丽兮月午。何心意之怦怦，若寤寐之栩栩？余乃欷歔怅怏，泣涕彷徨。人语兮寂历，天籁兮篔筜。鸟惊散而飞，鱼唼喋以响。志哀兮是祷，成礼兮期祥。呜呼哀哉！尚飨！（汪洋恣肆，古朴风流，立意新奇，气魄宏大，文字讲究，颇费心思。堪称『红』中诗文之冠。盖曹氏写小说，而小说如稗官野史，壮夫不为者，曹就频频写诗词歌赋文，希望读者别误以为他只会写小说。中华诗文，是一棵大树，各人作品，只是其一枝一花一叶，故要求各种创作皆有所本，乃至无一字无来历，无一字无出处，好处是有历史的纵深感，坏处是陈陈相因，一篇剪似一篇。）

这种文体，这样为文，既有发泄作用，又有一种规范、转移的作用。不规范的情感，为程式化的文体所规范，变痛不欲生的悲哀为整齐对仗的词句，表达了感情，梳理了感情，乃至最终扼杀终结了感情。这就是文学的两面性。煽情而又制情。这也是中国传统的『诗教』吧？贾宝玉——其实也是曹雪芹，确实以极大的篇幅，以极丰富的词汇，极丰赡的形式，下了功夫写了这篇诔文。由此可见他——他对于晴雯这一人物的重视，对于晴雯之死这一事件的重视。『规格』是超一流的。曹公本身亦有一种抑郁不平之气，假悼晴雯之诔以发之。一股未尽其才之怨，假此诔以展之。

读毕，遂焚帛奠茗，依依不舍。小丫鬟催至再四，方才回身。忽听山石之后有一人笑道：『且请留步。』二人听了，不觉大惊。那小丫鬟回头一看，却是个人影儿从芙蓉花里走出来，他便大叫：『不好，有鬼！晴雯真来显魂了！』唬得宝玉也忙看时，究竟是人是鬼，下回分解。

抄检大观园，从精神上说（即不是从考据上说），乃是曹氏『红』著的结束。具体的终结，应是终结在芙蓉诔上。以洋洋洒洒、规模宏大的芙蓉诔，以聪明美丽的晴雯的奇冤至死来结束曹氏『红』著，宜哉！晴雯之死，是搜检的最直接最严重最可悲的结果，是前八十回悲剧的顶峰，是事实上的对于王夫人——袭人（恰恰不是凤姐）的仁义道德直至权力运作（包括奴才们对于这种权力的投靠、适应、效忠）的控诉批判。

李白有诗『人生得意须尽欢』，好的，失意呢，失意却不可尽恸，变成舞文弄墨，插上一个别的杠子，避免声嘶力竭与血尽泪干，这与大悲剧、一死一大片的写法，倒也难分轩轾。盖再怎么巧言令色，想起来能不耿耿于怀？

第七十九回 薛文龙悔娶河东吼 贾迎春误嫁中山狼

话说宝玉才祭完了晴雯，只听花阴中有个人声，倒吓了一跳。细看不是别人，却是黛玉，满面含笑，口内说道：『好新奇的祭文！可与《曹娥碑》并传了。』宝玉听了，不觉红了脸，笑答道：『我想着世上这些祭文，都过于烂熟了，所以改个新样。原不过是我一时的玩意儿，谁知被你听见了。有什么大使不得的，何不改削改削。』（历来评者认为黛玉与晴雯间有一种特殊的关系。至少她们的性格有共同特点：聪明，美丽，自负，重情，任性，不肯随俗，等等。晴雯虽死，晴雯性格永生。）

黛玉道：『原稿在那里？倒要细细的看看。长篇大论，不知说的是什么，只听见中间两句，什么「红绡帐里，公子情深，黄土陇中，女儿命薄」。这一联意思却好，只是「红绡帐里」未免俗滥些。（进入文字讨论，反而淡化了真情，医疗了心理创伤。）放着现成的真事，为什么不用？』宝玉忙问：『什么现成的真事？』黛玉笑道：『咱们如今都系霞彩纱糊的窗槅，何不说「茜纱窗下，公子多情」呢？』宝玉听了，不禁跌脚笑道：『好极，好极！到底是你想得出，说得出。可知天下古今现成的好景好事尽多，只是我们愚人想不出来罢了。（这是一种重视现实生活的启发，高度评价生活的启示的论调。其实比此前的悼文查出处的种种更有价值得多。）但只一件，虽然这一改新妙之极，却是你在这里住着还可以，我实不敢当。』说着，又连说『不敢』。

黛玉笑道：『何妨。我的窗即可为你之窗，何必如此分晰，也太生疏了。古人异姓陌路，尚然「肥马轻裘，敝之无憾」，何况咱们。』宝玉笑道：『论交道，不在「肥马轻裘」，即「黄金白璧」，亦不当「锱铢较量」。倒是这唐突闺阁上头，却万万使不得的。如今我索性将「公子」「女儿」改去，竟算是你诔他的倒妙。况且素日你又待他甚厚，（『待她甚厚』云云，并未实写过，只好简单一表——再伟大的笔头，也有写不赢、写不盈充实的时候！）所以宁可弃了这一篇文，万不可弃这「茜纱」新句。莫若改作「茜纱窗下，小姐多情，黄土陇中，丫鬟薄命」。如此一改，虽与我不涉，我也惬怀。』黛玉笑道：『他又不是我的丫头，何用此语。况且「小姐」「丫鬟」，亦不典雅。等得紫鹃死了，我再如此说，还不算迟。』宝玉听了笑道：『这是何苦，又咒他。』黛玉笑道：『是你要咒的，并不是我说的。』宝玉道：『我又有了，这一改可极妥当了。莫若说：「茜纱窗下，我本无缘；黄土陇中，卿何薄命！」』（与晴雯已是天人相隔，著诔则是缔造一个铺张为文的世界，再从这个文字符号的世界回到黛玉这边厢来。本是诔晴雯，不知不觉又回到宝黛爱情的无前途这一悲剧命运上来了。）

黛玉听了，陡然变色，虽有无限狐疑，外面却不肯露出，反连忙含笑点头称妙，说：『果然改得好。再不必乱改了，快去干正经事罢。刚才太太打发人叫你，说明儿一早过大舅母那边去。你二姐姐已有人家求准了，所以叫你们过去呢。』宝玉拍手道：『何必如此忙？我身上也不大好，明儿还未必能去呢。』黛玉道：『又来了！我劝你把脾气改改罢。一年大，二年小，……』一面说话，一面咳嗽起来。宝玉忙道：『这里风冷，咱们只顾站着，凉着了可不是玩的，快回去罢。』黛玉道：『我也家去歇息了，明儿再见罢。』说着，便自取路去了。宝玉只得闷闷的转步，忽想起黛玉无人随伴，忙命小丫头子跟送回去。自己到了怡红院中，果有王夫人打发嬷嬷们来，吩咐他明日一早过贾赦这边来，与方才黛玉之言相对。（曹氏『红楼』精神，至此结束。）

原来贾赦已将迎春许与孙家了。这孙家乃是大同府人氏，祖上系军官出身，乃当日宁荣府中之门生，算来亦系至交。如今孙家只有一人在京，现袭指挥之职，此人名唤孙绍祖，生得相貌魁梧，体格健壮，弓马娴熟，应酬权变，年纪未满三十，且又家资饶富，现在兵部候缺题升。因未曾娶妻，贾赦见是世交子侄，且人品家当都相称合，遂择为东床娇婿。亦曾回明贾母，贾母心中却不十分愿意，但想儿女之事，自有天意，况且他亲父主张，何必出

头多事？因此，只说『知道了』三字，余不多及。（贾母对迎春事不会十分上心。）贾政又深恶孙家，虽是世交，不过是他祖父当日希慕荣宁之势，有不能了结之事，才拜在门下的，并非诗礼名族之裔。因此，倒劝谏过两次，无奈贾赦不听，也只得罢了。

宝玉却未曾会过这孙绍祖一面的，次日只得过去，聊以塞责。只听见那娶亲的日子甚近，不过今年，就要过门的。又见邢夫人等回了贾母，将迎春接出大观园去，越发扫兴，每每痴痴呆呆的，不知作何消遣。（树未倒，树不倒，猢狲也不可能长聚。宝玉的成长伴随着痴呆状的加深加剧。）又听说要陪四个丫头过去，更又跌足道：『从今后这世上又少了五个清净人了！』因此，天天到紫菱洲一带地方，徘徊瞻顾，见其轩窗寂寞，屏帐翛然，不过只有几个该班上夜的老妪。再看那岸上的蓼花苇叶，也都觉摇摇落落，似有追忆故人之态，迥非素常逞妍斗色可比。（雪上加霜，零落之态，已不可收拾矣，悲夫！）情不自禁，乃信口吟成一歌曰：

池塘一夜秋风冷，吹散芰荷红玉影；
蓼花菱叶不胜悲，重露繁霜压纤梗。
不闻永昼敲棋声，燕泥点点污棋枰；
古人惜别怜朋友，况我今当手足情！（前六句写得不错，但仍嫌单薄，所有句子拴在一根绳上。）

宝玉方才吟罢，忽闻背后有人笑道：（每吟到悲处，如黛玉中秋夜联诗、宝玉诔芙蓉，必有人岔开——妙玉、黛玉直至此回香菱。这也是哀而不伤之意。）『你又发什么呆呢？』宝玉回头忙看是谁，原来是香菱。宝玉忙转身笑问道：『我的姐姐，

你这会子跑到这里来做什么？许多日子也不进来逛逛。』香菱拍手笑嘻嘻的说道：（香菱动辄『笑嘻嘻』，不知是什么脾气。）『我何曾不要来。如今你哥哥回来了，那里比先时自由自在的了。刚才我们太太使人找你凤姐姐去，竟没有找着，说往园子里来了。我听见这个话，我就讨了这个差，进来找他。遇见他的丫头，说在稻香村呢。如今我往稻香村去，谁知又遇见了你。我还要问你，袭人姐姐这几日可好？怎么忽然把个晴雯姐姐也没了，到底是什么病？二姑娘搬出去的好快！你瞧瞧，这地方一时间就空落落的了。』宝玉只有一味答应，又让他同到怡红院去吃茶。香菱道：『此刻竟不能，等找着琏二奶奶，说完了正经事，再来。』宝玉道：『什么正经事，这般忙？』香菱道：『为你哥哥娶嫂子的事，所以要紧。』宝玉道：『正是。说的到底是那一家的？只听见吵嚷了这半年，今儿又说张家的好，明儿又要李家的，后儿又议论王家的。这些人家的女儿，他也不知造了什么罪，叫人家好端端的议论。』香菱道：『如今定了，可以不用拉扯别家了。』宝玉忙问道：『定了谁家的？』香菱道：『因你哥哥上次出门时，顺路到了个亲戚家去。这门亲原是老亲，且又和我们是同在户部挂名行商，也是数一数二的大门户。（官商一体，『红』已有之。）前日说起来时，你们两府都也知道的。合京城里，上自王侯，下至买卖人，都称他家是「桂花夏家」。』宝玉忙笑道：『如何又称为「桂花夏家」？』香菱道：『本姓夏，非常的富贵。其余田地不用说，单有几十顷地种着桂花，凡这「长安」，那城里城外桂花局，俱是他家的，连宫里一应陈设盆景亦是他家贡奉，因此才有这个混号。（还有点垄断行业的味道呢。）如今太爷也没了，只有老奶奶带着一个亲生的姑娘过活，也并没有哥儿弟兄，可惜他竟一门尽绝了后。』

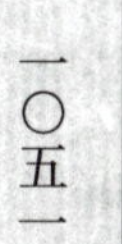
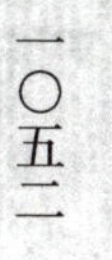

宝玉忙道：『咱们也别管他绝后不绝后，只是这姑娘可好？你们大爷怎么就中意了？』香菱笑道：『一则是天缘，二来是「情人眼里出西施」。当年时又通家来往，从小儿都在一处玩过。叙亲是姑舅兄妹，又没嫌疑。虽离了这几年，前儿一到他家，夏奶奶又是没儿子的，一见了你哥哥出落得这样，又是哭，又是笑，竟比见了儿子还胜。又令他兄妹们相见，谁知这姑娘出落得花朵似的了，在家里也读书写字，所以你哥哥当时就一心看准了。（薛蟠此亲竟是自己挑选的。算不算自由恋爱的萌芽呢？）连当铺里老伙计们一群人，遭扰了人家三四日，他们还留多住几天，好容易苦辞，才放回家来。你哥哥一进门，就咕咕唧唧求我们太太去求亲。我们太太原是见过的，又且门当户对，也依了。和这里姨太太凤姑娘商议了，打发人去一说，就成了。只是娶的日子太急，所以我们忙乱得很。我也巴不得早些过来，又添了一个做诗的人了。』宝玉冷笑道：『虽如此说，但只我倒替你担心虑后呢。』香菱道：『这是什么话？我倒不懂了。』宝玉笑道：『这有什么不懂的，只怕再有个人来，薛大哥就不肯疼你了。』香菱听了，不觉红了脸，正色道：『这是怎么说！素日咱们都是厮抬厮敬，今日忽然提起这些事来，怪不得人人都说你是个亲近不得的人。』（好人无用。好人无医。好人无救。好人不识好歹。）一面说，一面转身走了。

宝玉见他这样，便怅然如有所失，呆呆的站了半日，只得没精打彩，还入怡红院来。一夜不曾安睡，种种不宁。次日便懒进饮食，身体发热。也因近日抄检大观园、逐司棋、别迎春、悲晴雯等羞辱惊恐悲凄所致，兼以风寒外感，遂致成疾，卧床不起。贾母听得如此，天天亲来看视。王夫人心中自悔，不合因晴雯过于逼责了他。心中虽如此，脸上却不露出，只吩咐众奶娘等好生伏侍看守。（绝对不能认错。）一日两次带进医生来诊脉下药。一月之后，方才

渐渐的痊愈。好生保养过百日，方许动荤腥油面，方可出门行走。

这百日内，院门前皆不许到，只在房中玩笑。四五十日后，就把他拘的火星乱迸，那里忍耐的住。虽百般设法，无奈贾母王夫人执意不从，也只得罢了。因此，和些丫鬟们无所不至，（无所不至？）恣意玩笑。又听得薛蟠那里摆酒唱戏，热闹非常，已娶亲入门。闻得这夏家小姐十分俊俏，也略通文翰，宝玉恨不得就过去一见才好。再过些时，又闻得迎春出了阁。宝玉思及当时姊妹，耳鬓厮磨，从今一别，纵得相逢，必不得似先前这等亲热了。眼前又不能去一望，真令人凄惶不尽。少不得潜心忍耐，暂同这些丫鬟们厮闹释闷，幸免贾政责备逼迫读书之难。这百日内，只不曾拆毁了怡红院，和这些丫头们无法无天，凡世上所无之事，都玩耍出来，且不消细说。（王夫人之权威，于杀人则有余，于整顿风气与教育下一代，则不足。）

且说香菱自那日抢白了宝玉之后，自为宝玉有意唐突：『从此倒要远避他些才好。』因此，以后连大观园也不轻易进来了。日日忙乱着，薛蟠娶过亲，自为得了护身符，自己身上分去责任，到底比这样安静些；二则又知是个有才有貌的佳人，自然是典雅和平的。因此，心中盼过门的日子，比薛蟠还急十倍。好容易盼得一日娶过了门，他便十分殷勤小心伏侍。（好人＝傻子。世上当真有这样的好人——傻子吗？）

原来这夏家小姐今年方十七岁，生得亦颇有姿色，亦颇识得几个字。若论心里的丘壑泾渭，颇步熙凤的后尘。只吃亏了一件，从小时，父亲去世的早，又无同胞兄弟，寡母独守此女，娇养溺爱，不啻珍宝，凡女儿一举一动，他母亲皆百依百顺，因此未免酿成个盗跖的情性，自己尊若菩萨，他人秽如粪土；外具花柳之姿，内秉风雷之性。（『红』中的女儿都是天使，如今终于出了一个魔头。）在家中和丫鬟们使性赌气、轻骂重打的。今日出了阁，自为要作当家的奶奶，比不得做女儿时腼腆温柔，须要拿出威风来，才钤压的住人；况且见薛蟠气质刚硬，举止骄奢，若不趁热灶一气炮制，将来必不能自竖旗帜矣。又见有香菱这等一个才貌俱全的爱妾在室，越发添了那『宋太祖灭南唐』之意。（这种先期介绍，难免不使人物类型化乃至脸谱化。）因他家多桂花，小名就叫做金桂。他在家时，不许人口中带出『金』『桂』二字，凡有不留心误道出一字者，他便定要苦打重罚才罢。（自己制造禁忌，再进行捍卫禁忌之战。）他因想『桂花』二字是禁止不住的，须得另换一名，想桂花曾有广寒嫦娥之说，便将桂花改为『嫦娥花』，又寓自己身分如此。薛蟠本是个怜新弃旧的人，且是有酒胆无饭力的，（酒胆饭力云云，是否指他既是性放纵，又是性无能？）如今得了这一个妻子，正在新鲜兴头上，凡事未免尽让他些。那夏金桂见是这般形景，便也试着一步紧似一步。一月之中，二人气概都还相平；至两月之后，便觉薛蟠的气概渐次的低矮了下去。

一日，薛蟠酒后，不知要行何事，先与金桂商议，金桂执意不从。薛蟠便忍不住，便发了几句话儿，赌气自行了。金桂便哭的如醉人一般，茶汤不进，装起病来，请医疗治。医生又说：『气血相逆，当进宽胸顺气之剂。』薛姨妈恨得骂了薛蟠一顿，说：『如今娶了亲，眼前抱儿子了，还是这么胡闹！人家凤凰似的，好容易养了一个女儿，比花朵儿还轻巧，原看的你是个人物，才给你做老婆。你不说收了心，安分守己，一心一计，和和气气的过日子，还是这样胡闹，喝了黄汤，折磨人家。这会子花钱吃药白遭心！』一夕话，说得薛蟠后悔不迭，反来安慰金桂。金桂见婆婆如此说，越发得了意，更装出些张致来，不理薛蟠。（驯夫有术。）薛蟠没了主意，惟有自软而已。好容易十天半月之后，才渐渐的哄转过金桂的心来。自此，便加一倍小心，气概不免又矮了半截下来。那金桂见丈夫旗纛渐倒，婆婆良善，也就渐渐的持戈试马。先前不过挟制薛蟠，后来倚娇作媚，将及薛姨妈，后将至宝钗。宝钗久察其不轨之心，每每随机应变，暗以言语弹压其志。金桂知其不可犯，便欲寻隙，苦得无隙可乘，倒只好曲意俯就。（虽未具体写，但处处显示宝钗的尊严与身段。）

一日，金桂无事，因和香菱闲谈，问香菱家乡父母。香菱皆答忘记，金桂便不悦，说有意欺瞒了他。因问：『「香菱」二字是谁起的？』香菱便答道：『姑娘起的。』金桂冷笑道：『人人都说姑娘通，只这一个名字就不通。』香菱忙笑道：『奶奶若说姑娘不通，奶奶没合姑娘讲究过。说起来，他的学问，连咱们姨老爷常时还夸的呢！』

欲知金桂说出何话，且听下卷分解。

这一段夏金桂压倒薛蟠的描写相当一般化、模式化。从『谁战胜谁』的角度写夫妻关系，评价夫妻关系，在中国文学作品中不少，如《聊斋》中治妒妇的故事。外国也有，如莎士比亚的《驯悍记》，莎翁此戏更有做戏的味道，富有幽默感。而『红』中的夏金桂故事，一点也没有幽默感。作者更不能容忍悍妇，不能像莎剧一样把『驯悍』处理成喜剧，把悍妇也处理得颇有可爱之处。

危险与可疑，是美傲者的墓志铭；可靠与稳重，是讨好者的通行证；闷气与孤独，是高雅者的命运；折腾与故事，是恶俗者的基本功。

晴雯去矣，夏金桂来了，有什么可说的呢？

第八十回 美香菱屈受贪夫棒 王道士胡诌妒妇方

话说金桂听了，将脖项一扭，嘴唇一撇，鼻孔里『哧哧』两声，冷笑道：『菱角花开，谁见香来？若是菱角香了，正经那些香花放在那里？可是不通之极！』香菱道：『不独菱花香，就连荷叶莲蓬，都是有一股清香的。（香菱讲的是水生植物的清香，金桂讲的则是以香示人的浓香。）但他原不是花香可比，若静日静夜，或清早半夜，细领略了去，那一股清香比是花都好闻呢。就连菱角、鸡头、苇叶、芦根，得了风露，那一股清香，也是令人心神爽快的。』金桂道：『依你说，这兰花桂花，倒香的不好了？』香菱说到热闹头上，忘了忌讳，便接口道：『兰花桂花的香，又非别的香可比。』

一句未完，金桂的丫鬟名唤宝蟾的，忙指着香菱的脸说道：『你可要死！你怎么叫起姑娘的名字来！』香菱猛省了，反不好意思，忙陪笑说：『一时顺了嘴，奶奶别计较。』金桂笑道：『这有什么，你也太小心了。但只是我想这个「香」字到底不妥，意思要换一个字，不知你服不服？』（呜呼！金桂善斗，善找题目逞威风与压别人，哪怕无中生有，无事生非。）香菱笑道：『奶奶说那里话，此刻连我一身一体俱是奶奶的，何得换一个名字反问我服不服，叫我如何当得起！奶奶说那一个字好，就用那一个。』金桂冷笑道：『你虽说得是，只怕姑娘多心。』香菱笑道：『奶奶原来不知：当日买了我时，原是老太太使唤的，故此姑娘起了这个名字。后来伏侍了爷，就与姑娘无涉了。如今又有了奶奶，越发不与姑娘相干。且姑娘又是极明白的人，如何恼得这些呢。』金桂道：『既这样说，「香」字竟不如「秋」字妥当。菱角菱花皆盛于秋，岂不比香字有来历些。』（『秋菱』倒也不错，乃至更好。夏氏并不草包。）

香菱笑道："就依奶奶这样罢了。"自此后遂改了"秋"字，宝钗亦不在意。

只因薛蟠是天性"得陇望蜀"的，如今娶了金桂，又见金桂的丫头宝蟾有三分姿色，举止轻浮可爱，便时常要茶要水的，故意撩逗他。宝蟾虽亦解事，只是怕金桂，不敢造次，且看金桂的眼色。金桂亦觉察其意，想着："正要摆布香菱，无处寻隙，如今他既看上宝蟾，我且舍出宝蟾与他，他一定就和香菱疏远了。我再乘他疏远之时，摆布了香菱，那时宝蟾原是我的人，也就好处了。"打定了主意，俟机而发。（金桂这种人把一切关系都敌我化、三国化、策略化，以斗争为纲。）

这日，薛蟠晚间微醺，又命宝蟾倒茶来吃。薛蟠接碗时，故意捏他的手，宝蟾又乔装躲闪，连忙缩手。两下失误，"豁啷"一声，茶碗落地，泼了一身一地的茶。薛蟠不好意思，佯说宝蟾不好生拿着。宝蟾说："姑爷不好生接。"金桂冷笑道："两个人的腔调儿都够使的了。别打量谁是傻子。"薛蟠低头微笑不语，宝蟾红了脸出去。

一时，安歇之时，金桂便故意的撵薛蟠别处去睡："省的得了馋痨似的。"薛蟠只是笑。金桂道："要做什么和我说，别偷偷摸摸的，不中用。"薛蟠听了，仗着酒盖脸，就势跪在被上，拉着金桂笑道："好姐姐，你若把宝蟾赏了我，你要怎样，就怎样。你要活人脑子，也弄来给你。"金桂笑道："这话好不通。你爱谁，说明了，就收在房里，省得别人看着不雅。我可要什么呢！"（越道学就使男女之事越下流俗鄙，而越下流俗鄙龌龊，就越要道貌岸然了。封建道德使伪者愈伪，鄙者愈鄙，毒者愈毒，言、行、人格，都分裂了。）薛蟠得了这话，喜的称谢不尽。是夜，曲尽丈夫之道，竭力奉承金桂。次日也不出门，只在家中厮闹，越发放大了胆了。

至午后，金桂故意出去，让个空儿与他二人，薛蟠便拉拉扯扯的起来。宝蟾心里也知八九了，也就半推半就。正要入港，谁知金桂是有心等候的，料着在难分之际，便叫小丫头小舍儿过来。原来这小丫头也是金桂在家使唤的，因他自小时父母双亡，无人看管，便大家叫他做小舍儿，专做些粗活。金桂如今有意，独唤他来吩咐道："你去告诉秋菱，到我屋里，将我的绢子取来，不必说我说的。"（一位小姐，哪里学的这般坏水？生而知之，生而邪恶并下流阴毒至此么？）小舍儿听了，一径去寻着秋菱，说："菱姑娘，奶奶的绢子忘记在屋里了，你去取了来，送上去，岂不好？"

秋菱正因金桂近日每每挫折他，不知何意，百般竭力挽回，听了这话，忙走往房里来取，不防正遇见他二人推就之际，一头撞了进去，自己倒羞的耳面通红，转身回避不及。（这种场面虽不堪，但有喜剧性。）薛蟠自为是过了明路的，除了金桂，无人可怕，所以连门也不掩。这会秋菱撞来，故虽不十分在意，无奈宝蟾素日最是说嘴要强的，今既遇了秋菱，便恨无地可入，忙推开薛蟠，一径跑了，口内还怨恨不绝的说他强奸力逼。薛蟠好容易哄得上手，却被秋菱打散，不免一腔的兴头，变做了一腔的恶怒，都在秋菱身上，不容分说，赶出来，啐了两口，骂道："死娼妇！你这会子做什么来撞尸游魂？"（薛蟠之可恶，比夏氏有过无不及。曹氏更倾向于诋毁坏女人，故给读者的感觉是夏氏泼辣，薛傻子可怜。）秋菱料事不好，三步两步，早已跑了。薛蟠再来找宝蟾，已无踪迹了。于是只恨得骂秋菱。至晚饭后，已吃得醺醺然，洗澡时，不防水略热了些，烫了脚，便说秋菱有意害他，他赤条精光，赶着秋菱踢打了两下。秋菱虽未受过这气苦，既到了此时，也说不得了，只好自悲自怨，各自走开。

彼时金桂已暗和宝蟾说明，今夜令薛蟠在秋菱房中去成亲，命秋菱过来陪自己安睡。先是秋菱不肯，金桂说他嫌腌臜了，再必是图安逸，怕夜里劳动伏侍。又骂说：『你没见世面的主子，见一个爱一个，把我的人霸占了去，又不叫你来，到底是什么主意？想必是逼死我就罢了。』（金桂堪称马不停蹄，一斗到底，树敌克敌，无止无息。）薛蟠听了这话，又怕闹黄了宝蟾之事，忙又赶来骂秋菱：『不识抬举！再不去就要打了。』秋菱无奈，只得抱了铺盖来，金桂命他在地下铺着睡。秋菱只得依命。刚睡下，便叫倒茶，一时又要捶腿，如是者，一夜七八次，总不使其安逸稳卧片时。那薛蟠得了宝蟾，如获珍宝，一概都置之不顾。恨得金桂暗暗的发恨道：『且叫你乐几天，等我慢慢的摆弄了他，那时可别怨我！』一面隐忍，一面设计摆布秋菱。（连环计，干下去。她到底要干啥？）

半月光景，忽又装起病来，只说心痛难忍，四肢不能转动，疗治不效。众人都说是秋菱气的。闹了两天，忽又从金桂枕头内抖出个纸人来，上面写着金桂的年庚八字，有五根针钉在心窝并肋肢骨缝等处。（也是马道婆术，说明这些一心害人的人办法不多，想像力有限。当然，一个是真心想害人，一个则制造假象——别人要害己，真心假象，如出一辙。）于是众人当作新闻，先报与薛姨妈。薛姨妈先忙手忙脚的，薛蟠自然更乱起来，立刻要拷打众人。金桂道：『何必冤枉众人？大约是宝蟾的镇魔法儿。』薛蟠道：『他这些时并没多空儿在你房里，何苦赖好人？』金桂冷笑道：『除了他还有谁，莫不是我自己害自己不成！虽有别人，如何敢进我的房呢？』（有词有术，有题有理，绝对不让你闲着。）薛蟠道：『秋菱如今是天天跟着你，他自然知道，先拷问他，就知道了。』金桂冷笑道：『拷问谁，谁肯认？依我说，

竟装个不知道，大家丢开手罢了。横竖治死我，也没什么要紧，乐得再娶好的。若据良心上说，左不是你三个多嫌我！』一面说着，一面痛哭起来。（越是坏人越委屈，既要逞威，又要装㞞）

薛蟠更被这些话激怒，顺手抓起一根门闩来，一径抢步，找着秋菱，不容分说，便劈头劈脸浑身打起来，一口只咬定是秋菱所施。秋菱叫屈，薛姨妈跑来禁喝道：『不问明白就打起人来了。这丫头伏侍这几年，那一年不小心？他岂肯如今做这没良心的事！你且问个清浑皂白，再动粗卤。』金桂听见他婆婆如此说，怕薛蟠心软意活了，便发声浪气大哭起来，说：『这半个多月，把我的宝蟾霸占了去，不容进我的房，惟有秋菱跟着我睡。我要拷问宝蟾，你又护在头里，你这会子又赌气打他去。治死我，再拣那富贵的标致的娶来就是了，何苦做出这些把戏来！』（更加复杂化了。）薛蟠听了这些话，越发着了急。

薛姨妈听见金桂句句挟制着儿子，百般恶赖的样子，十分可恨。无奈儿子偏不硬气，已是被他挟制软惯了。（薛姨妈忘了开初自己的责任了吧？）如今又勾搭上丫头，被他说霸占了去，自己还要占温柔让夫之礼。这魇魔法究竟不知谁做的？正是俗语说的好，『清官难断家务事』，此时正是公婆难断床帏的事了。因没法，只得赌气喝薛蟠，说：（表面上骂儿子，实际上骂儿媳。）『不争气的孽障，狗也比你体面些！谁知你三不知的把陪房丫头也摸索上了，叫老婆说霸占了丫头，什么脸出去见人！也不知谁使的法子，也不问清就打人。我知道你是个得新弃旧的东西，白辜负了当日的心。他既不好，你也不许打。我即刻叫人牙子来卖了他，（人牙子，多可怕的称谓！）你就心净了。』气着，又命：『秋菱，收拾了东西，跟我来。』一面叫人：『去，快叫个人牙子来，多少卖几两银子，拔去肉中刺、眼中钉，大家过

太平日子。』

薛蟠见母亲动了气，早已低了头。金桂听了这话，便隔着窗子，往外哭道：『你老人家只管卖人，不必说着一个、拉着一个的。（干脆斗到薛姨妈头上。）我们很是那吃醋拈酸容不得下人的不成？怎么「拔去肉中刺、眼中钉」？是谁的钉，谁的刺？但凡多嫌着他，也不肯把我的丫鬟也收在房里了。』薛姨妈听说，气得身战气咽，道：『这是谁家的规矩？婆婆在这里说话，媳妇隔着窗子拌嘴。亏你是旧人家的女儿！满嘴里大呼小喊，说的是什么！』（谁家真正按规矩办事？）薛蟠急得跺脚，说：『罢哟，罢哟！看人家听见笑话。』金桂意谓一不做，二不休，越发喊起来了，说：『我不怕人笑话！你的小老婆治害我，我倒怕人笑话了？再不然，留下他，卖了我！谁还不知道薛家有钱，行动拿钱垫人，又有好亲戚，挟制着别人。你不趁早施为，还等什么？嫌我不好，谁叫你们瞎了眼，三求四告的，跑了我们家做什么去了！』一面哭喊，一面自己拍打。（倒也生动。市井无赖一般。）薛蟠急得说又不好，劝又不好，打又不好，央告又不好，只是出入嗳声叹气，抱怨说：『运气不好。』（闹起来，「上人」「下人」一丘之貉。）（一闹就撕破了伪装，所以夏金桂人物亦是应运而生，应生活的需要而生。）

当下薛姨妈被宝钗劝进去了，只命人来卖香菱。宝钗笑道：『咱们家只知买人，并不知卖人之说，妈妈可是气糊涂了。倘或叫人听见，岂不笑话。哥哥嫂子嫌他不好，留着我使唤，我正也没人呢。』薛姨妈道：『留下他还是惹气，不如打发了他干净。』宝钗笑道：『他跟着我也是一样，横竖不叫他到前头去。从此，断绝了他那里，也与卖了的一样。』香菱早已跑到薛姨妈跟前，痛哭哀求，不愿出去，情愿跟姑娘。薛姨妈只得罢了。自此，后

王蒙评点

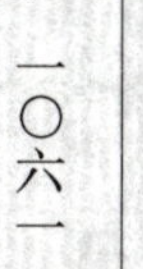

来香菱果跟随宝钗去了，把前面路径竟自断绝。虽然如此，终不免对月伤悲，挑灯自叹。虽然在薛蟠房中几年，皆因血分中有病，是以并无胎孕。今复加以气怒伤肝，内外折挫不堪，竟酿成干血之症，日渐羸瘦，饮食懒进，请医服药不效。（又病了一个。疾病经常充当「船迟偏遇打头风」中的那「风」的角色。）

那时金桂又吵闹了数次。薛蟠有时仗着酒胆，挺撞过两次，持棍欲打，那金桂便递身叫打；这里持刀欲杀时，便伸着脖项。薛蟠也实不能下手，只得乱了一阵罢了。如今已成习惯自然，反使金桂越长威风，又渐次辱嗔宝蟾。宝蟾比不得香菱，正是个烈火干柴，既和薛蟠情投意合，便把金桂放在脑后。近见金桂又作践他，他便不肯低服半点。先是一冲一撞的拌嘴，后来金桂气急，甚至于骂，再至于打。他虽不敢还手，便也撒泼打滚，寻死觅活，昼则刀剪，夜则绳索，无所不闹。（强将手下无弱兵，自己培养掘墓人。）薛蟠一身难以两顾，惟徘徊观望，十分闹得无法，便出门躲着。金桂不发作性气，有时欢喜，便纠聚人来斗牌掷骰行乐。（五毒俱全了。）又生平最喜啃骨头，每日务要杀鸡鸭，将肉赏人吃，只单是油炸的焦骨头下酒。吃得不耐烦，便肆行海骂，说：『有别的忘八粉头乐的，我为什么不乐！』（倒也提供另一种活法。封建上层女子，也不只有温顺文雅一路。薛蟠得此悍妇，亦是现世现报。薛姨妈得此媳，宝钗得此嫂，免得她们活得一味珠圆玉润，也是天意。宝钗躲了大观园的是非，躲不了自己家里的是非。）薛家母女总不去理他，惟暗里落泪。薛蟠亦无别法，惟悔恨不该娶这『搅家精』，都是一时没了主意。于是宁荣二府之人，上上下下，无有不知，无有不叹者。

此时宝玉已过了百日，出门行走，亦曾过来，见过金桂：『举止形容，也不怪厉，一般是鲜花嫩柳，与众

姊妹不差上下，焉得这等情性？可为奇事。」因此，心中纳闷。这日，与王夫人请安去，又正遇见迎春奶娘来家请安，说起孙绍祖甚属不端：「姑娘惟有背地里淌眼泪，只要接了来家，散荡两日。」王夫人因说：「我正要这两日接他去，只是七事八事的，都不遂心，所以就忘了。前日宝玉去了，回来也曾说过的。明日是个好日子，就接他去。」

正说时，贾母打发人来找宝玉，说：「明儿一早往天齐庙还愿去。」宝玉如今巴不得各处去逛逛，听见如此，喜的一夜不曾合眼。次日一早，梳洗穿戴已毕，随了两三个老嬷嬷，坐车出西城门外天齐庙烧香还愿。这庙里已于昨日预备停妥的。宝玉天性怯懦，不敢近狰狞神鬼之像，（比人更狰狞么？）是以忙忙的焚过纸马钱粮，即便退至道院歇息。

一时吃饭毕，众嬷嬷和李贵等围随宝玉到各处玩耍了一回，宝玉困倦，复回至净室安歇。众嬷嬷生恐他睡着了，便请了当家的老王道士来陪他说话儿。这老道士专在江湖上卖药，弄些海上方治病射利，庙外现挂着招牌，丸散膏药，色色俱备。亦长在宁荣二府走动惯熟，都与他起了个混号，唤他做『王一贴』；言他膏药灵验，一贴病除。（王一贴式人物与名号，令人觉得熟悉，是吾国的土特产吗？）当下王一贴进来。宝玉正歪在炕上想睡，看见王一贴进来，笑道：『来得好。王师傅你极会说笑话儿的，说一个与我们大家听听。』王一贴笑道：『正是呢，哥儿别睡，仔细肚子里面筋作怪。』说着，满屋里的都笑了。

宝玉也笑着起身整衣。王一贴命徒弟们：『快沏好茶来。』焙茗道：『我们爷不吃你的茶，坐在这屋里还嫌

王蒙评点 红楼梦

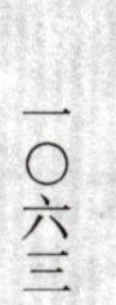

膏药气息呢。』王一贴笑道：『不当家花拉的，膏药从不拿进屋里来的。知道二爷今日必来，三五日头里就拿香熏的了。』宝玉道：『可是呢，天天只听见说你的膏药好，到底治什么病？』王一贴道：『若问我的膏药，说来话长，其中细底，一言难尽。共药一百二十味，君臣相济，温凉兼用。内则调元补气，养荣卫，开胃口，宁神定魄，去寒去暑，化食化痰；外则和血脉，舒筋络，去死生新，去风散毒。其效如神，贴过便知。』（广告语言。亦是对言过其实的广告的嘲讽。广告夸张其词，『红』已有之。）宝玉道：『我不信一张膏药就治这些病，我且问你，倒有一种病，可也贴得好么？』王一贴道：『百病千灾无不立效；若不效，二爷只管揪胡子，打我这老脸，拆我这庙，何如？只说出病源来。』宝玉道：『你猜，若猜得着，便贴得好了。』王一贴听了，寻思一会，笑道：『这倒难猜，只怕膏药有些不美了。』宝玉命他坐在身边，王一贴心动，便笑着悄悄的说道：『我可猜着了！想是二爷如今有了房中的事情，要滋助的药，可是不是？』

话犹未完，焙茗先喝道：『该死，打嘴！』宝玉犹未解，忙问：『他说什么？』焙茗道：『信他胡说！』唬得王一贴不等再问，只说：『二爷明说了罢。』宝玉道：『我问你，可有贴女人的妒病的方子没有？』王一贴听了，拍手笑道：『这可罢了，不但说没有方子，就是听也没有听见过。』（夏金桂之事已登峰造极，无法解决。便出来一个王一贴，插科打诨，化为笑谈。）宝玉笑道：『这样还算不得什么。』王一贴又忙道：『这贴妒的膏药倒没经过，有一种汤药，或者可医，只是慢些儿，不能立刻见效的。』宝玉道：『什么汤，怎样吃法？』王一贴道：『这叫做「疗妒汤」：用极好的秋梨一个，二钱冰糖，一钱陈皮，水三碗，梨熟为度。每日清晨吃这一个梨，吃来吃去就好了。』（遇到死结，

便用插科打诨之语言化解之，这也是语言的一种解释，心理治疗作用。大人物也这样的。）宝玉道：『这也不值什么，只怕未必见效。』王一贴道：『一剂不效，吃十剂；今日不效，明日再吃；今年不效，明年再吃。横竖这三味药都是润肺开胃不伤人的，甜丝丝的，又止咳嗽，又好吃。吃过一百岁，人横竖是要死的，死了还妒什么！那时就见效了。』（时间医治一切，解决一切，倒不纯是笑话。）说着，宝玉焙茗都大笑不止，骂：『油嘴的牛头。』王一贴道：『不过是闲着解午盹罢了，有什么关系。说笑了你们就值钱。告诉你们说：连膏药也是假的。我有真药，我还吃了做神仙呢。有真的跑到这里来混？』（此话说透。但看不透的人仍多。）正说着，吉时已到，请宝玉出去奠酒，焚化钱粮，散福。功课完毕，宝玉方进城回家。（王一贴一节写出『无可奈何』四字。）

那时迎春已来家好半日，孙家婆娘媳妇等人已待晚饭，打发回家去了。迎春方哭哭啼啼，在王夫人房中诉委屈，说：『孙绍祖一味好色，好赌，酗酒，家中所有的媳妇丫头，将及淫遍。略劝过两三次，便骂我是「醋汁子老婆拧出来的」。又说老爷曾收着五千银子，不该使了他的。如今他来要了两三次不得，便指着我的脸说道：「你别和我充夫人娘子，你老子使了我五千银子，把你准折卖给我的。好不好，打你一顿，撵你到下房睡去！当日有你爷爷在时，希冀上我们的富贵，赶着相与的。论理，我和你父亲是一辈，如今压着我的头，晚了一辈，不该做了这门亲，倒没的叫人看着赶势利似的。」』（夏金桂之坏，比较丰富生动。孙绍祖之坏，纯系概念。）一行说，一行哭得呜呜咽咽，连王夫人并众姊妹无不落泪。王夫人只得用言解劝，说：『已是遇见不晓事的人，可怎么样呢。（盖以封建礼法观之，坏女人十恶不赦，五毒俱全，写来头头是道。坏男人则虽坏——特别是对妻子坏，亦不是大逆不道，不足以勾画出丑恶嘴脸来。）

想当日你叔叔也曾劝过大老爷，不叫做这门亲的，大老爷执意不听，一心情愿，到底做不好了。（又拉扯到贾府内部的赦、政矛盾上来了。）我的儿！这也是你的命。』迎春哭道：『我不信我的命就这么苦！从小儿没有娘，幸而过婶娘这边来，过了几年净心日子，如今偏又是这么个结果！』

王夫人一面劝，一面问他随意要在那里安歇。迎春道：『乍乍的离了姊妹们，只是眠思梦想；二则还记挂着我的屋子，还得在园里住得三五天，死也甘心了。不知下次来还可得住不得住了呢！』王夫人忙劝道：『快休乱说。年轻的夫妻们，斗牙斗齿，也是泛泛人的常事，何必说这些丧话。』仍命人忙忙的收拾紫菱洲房屋，命姊妹们陪伴着解释。又吩咐宝玉：『不许在老太太跟前走漏一些风声，倘或老太太知道了这些事，都是你说的。』宝玉唯唯的听命。迎春是夕仍在旧馆安歇，众姊妹丫鬟等，更加亲热异常。一连住了三日，才往邢夫人那边去，先辞过贾母及王夫人，然后与众姊妹分别，各皆悲伤不舍，还是王夫人薛姨妈等安慰劝释，方止住了，过那边去。又在邢夫人处住了两日，就有孙家的人来接去，迎春虽不愿去，无奈孙绍祖之恶，勉强忍情，作辞去了。邢夫人本不在意，也不问其夫妻和睦，家务烦难，只面情塞责而已。要知后事，下回分解。

人生烦恼，殊无尽头。宝玉、晴雯、司棋、黛玉、芳官之烦恼写罢，又是迎春、薛蟠这路较平庸的人的炼狱生涯。就是洁身自好的宝钗、善良单纯的香菱也欲洁不能，欲善无路。俗人有俗的烦恼，雅人有雅的烦恼。俗人的烦恼也会干扰雅人，雅人的烦恼却被俗人视为疯癫可笑。或谓七十九、八十两回已为高氏续作（胡风即持此观点），可能这两回的描写比前几十回显得过于凡俗吧。待考。

看多了《红楼梦》，千万别以为世界就是大观园，就是由吟诗的女儿们构成的。夏金桂的出现有利读者清醒，当亦不违背作者原衷。

第八十一回　占旺相四美钓游鱼　奉严词两番入家塾

且说迎春归去之后，邢夫人像没有这事。（颇似有意贬邢夫人。）倒是王夫人抚养了一场，却甚实伤感，在房中自己叹息了一回。只见宝玉走来请安，看见王夫人脸上似有泪痕，也不敢坐，只在傍边站着。王夫人叫他坐下，宝玉才挨上炕来，就在王夫人身旁坐了。王夫人见他呆呆的瞅着，似有欲言不言的光景，便道：『你又为什么这样呆呆的？』宝玉道：『并不为什么。只是昨儿听见二姐姐这种光景，我实在替他受不得。虽不敢告诉老太太，却这两夜只是睡不着。我想咱们这样人家的姑娘，那里受得这样的委屈？况且二姐姐是个最懦弱的人，向来不会和人拌嘴，偏偏儿的遇见这样没人心的东西，竟一点儿不知道女人的苦处。』（其实这样人家的生活便是我委屈你，你委屈我。迎春为何懦弱，如何懦弱，这个人物比较扁平。）说着，几乎滴下泪来。王夫人道：『这也是没法儿的事。俗语说的：「嫁出去的女孩儿，泼出去的水。」叫我能怎么样呢？』宝玉道：『我昨儿夜里倒想了一个主意：咱们索性回明了老太太，把二姐姐接回来，还叫他紫菱洲住着，仍旧我们姐妹弟兄们一块儿吃，一块儿玩，省得受孙家那混账行子的气。等他来接，咱们硬不叫他去。由他接一百回，咱们留一百回，只说是老太太的主意。这个岂不好呢？』

王夫人听了，又好笑，又好恼，说道：『你又发了呆气了，混说的是什么！大凡做了女孩儿，终久是要出门子的。嫁到人家去，娘家那里顾得？也只好看他自己的命运，碰得好就好，碰得不好也就没法儿。你难道没

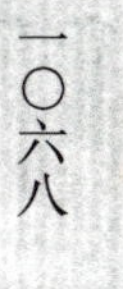

听见人说，「嫁鸡随鸡，嫁狗随狗」，那里个个都像你大姐姐做娘娘呢？况且你二姐姐是新媳妇，孙姑爷也还是年轻的人，各人有各人的脾气，新来乍到，自然要有些扭别的。过几年，大家摸着脾气儿，生儿长女以后，那就好了。（这相当于『磨合』论。）你断断不许在老太太跟前说起半个字。我知道了，是不依你的。快去干你的去罢，不要在这里混说。』（宝玉作儿童语。王夫人作认命语，更突出了『女儿』们的无助。）说得宝玉也不敢作声，坐了一回，无精打彩的出来了。憋着一肚子闷气，无处可泄，走到园中，一径往潇湘馆来。刚进了门，便放声大哭起来。

黛玉正在梳洗才毕，见宝玉这个光景，倒吓了一跳，问：『是怎么了？合谁怄了气了？』连问几声。宝玉低着头，伏在桌子上，呜呜咽咽，哭的说不出话来。黛玉便在椅子上怔怔的瞅着他，（宝玉呆呆的，黛玉怔怔的。）一会子问道：『到底是别人合你怄了气了，还是我得罪了你呢？』宝玉摇手道：『都不是，都不是！』黛玉道：『那么着，为什么这么伤起心来？』宝玉道：『我只想着，咱们大家越早些死的越好，活着真真没有趣儿。』（宝玉的这话其实并不稀奇，只是人们不好公开这样讲罢了。）黛玉听了这话，更觉惊讶，道：『这是什么话，你真正发了疯了不成？』宝玉道：『也并不是我发疯。我告诉你，你也不能不伤心。前儿二姐姐回来的样子和那些话，你也都听见看见了。我想人到了大的时候，为什么要嫁？嫁出去，受人家这般苦楚！还记得咱们初结海棠社的时候，大家吟诗做东道，那时候何等热闹！如今宝姐姐家去了，连香菱也不能过来，二姐姐又出了门子了，几个知心知意的人，都不在一处，弄得这样光景！我原打算去告诉老太太，接二姐姐回来，谁知太太不依，倒说我呆、混说。我又不敢言语。这不多几时，你瞧瞧，园中光景，已经大变了；若再过几年，又不知怎么样了。故此，越想不由人不心里难受起来。』（这也是

逝者如斯夫的永恒叹息，光阴如流水，好景不长在也。何况大观园的那种超级聚集、享乐、青年联欢节，又怎可能长命百岁！）黛玉听了这番言语，把头渐渐的低了下去，身子渐渐的退至炕上，一言不发，叹了口气，便向里躺下去了。

紫鹃刚拿进茶来，见他两个这样，正在纳闷，只见袭人来了，进来看见宝玉，便道：『二爷在这里呢么？老太太那里叫呢。我估量着二爷就是在这里。』黛玉听见是袭人，便欠身起来让坐。黛玉的两个眼圈儿已经哭的通红了。宝玉看见，道：『妹妹，我刚才说的，不过是些呆话，你也不用伤心。你要想我的话时，身子更要保重才好。（说来说去，未免同义反复，缺少新意也缺少浓度。）你歇歇儿罢。老太太那边叫我，我看看去就来。』说着，往外走了。袭人悄问黛玉道：『你两个人又为什么？』黛玉道：『他为他二姐姐伤心；我是刚才眼睛发痒，揉的，并不为什么。』袭人也不言语，忙跟了宝玉出来，各自散了。（袭人不言语？似有狐疑。）宝玉来到贾母那边，贾母却已经歇晌，只得回到怡红院。

到了午后，宝玉睡了中觉起来，甚觉无聊，随手拿了一本书看。袭人见他看书，忙去沏茶伺候。谁知宝玉拿的那本书却是《古乐府》，随手翻来，正看见曹孟德『对酒当歌，人生几何』一首，不觉刺心。（文心在我，我即文心。）因放下这一本，又拿一本看时，却是晋文，翻了几页，忽然把书掩上，托着腮，只管痴痴的坐着。袭人倒了茶来，见他这般光景，便道：『你为什么又不看了？』宝玉也不答言，接过茶来，喝了一口，便放下了。袭人一时摸不着头脑也只管站在傍边，呆呆的看着他。忽见宝玉站起来，嘴里咕咕哝哝的说道：『好一个「放浪形骸之外」！』（宝玉聪慧，自幼便有遐思怅惘，解决不了人生终极的大问题。）袭人听了，又好笑，又不敢问他，只得劝道：『你若不爱看这些书，不如还到园里逛逛，也省得闷出毛病来。』

那宝玉只管口中答应，只管出着神，往外走了。一时，走到沁芳亭，但见萧疏景象，人去房空。又来至蘅芜院，更是香草依然，门窗掩闭。转过藕香榭来，远远的只见几个人，在蓼溆一带栏干上靠着，有几个小丫头蹲在地下找东西。宝玉轻轻的走在假山背后听着。只听一个说道：『看他洑上来不洑上来。』好似李纹的语音。一个笑道：『好！下去了。我知道他不上来的。』这个却是探春的声音。一个又道：『是了。姐姐，你别动，只管等着，他横竖上来。』一个又说：『上来了。』这两个是李绮邢岫烟的声儿。

宝玉忍不住，拾了一块小砖头儿，往那水里一撂，『咕咚』一声，四个人都吓了一跳，惊讶道：『这是谁这么促狭？唬了我们一跳。』宝玉笑着从山子后直跳出来，笑道：『你们好乐啊，怎么不叫我一声儿？』探春道：『我就知道再不是别人，必是二哥哥这样淘气。没什么说的，你好好儿的赔我们的鱼罢！刚才一个鱼上来，刚刚儿的要钓着，叫你唬跑了。』宝玉笑道：『你们在这里顽，竟不找我，我还要罚你们呢。』大家笑了一回。宝玉道：『咱们大家今儿钓鱼，占占谁的运气好。看谁钓得着，就是他今年的运气好；钓不着，就是他今年运气不好。咱们谁先钓？』（难得再安排几个人继续享受生活。写过了吃蟹、行酒令、赏雪、赏月、烤肉、联诗……再写写钓鱼，应属相宜。）探春便让李纹，李纹不肯。探春笑道：『这样就是我先钓。』回头向宝玉说道：『二哥哥，你再赶走了我的鱼，我可不依了。』宝玉道：『头里原是我要唬你们顽，这会子你只管钓罢。』（愁无解释且钓鱼。又添一种生活情趣。）

探春把丝绳抛下，没十来句话的工夫，就有一个杨叶窜儿，吞着钩子，把漂儿坠下去。探春把竿一挑，往地下一撩，却是活迸的。侍书在满地上乱抓，两手捧着搁在小磁坛内，清水养着。探春把钓竿递与李纹。李纹也把钓竿垂下，但觉丝儿一动，忙挑起来，却是个空钩子。又垂下去半晌，钩丝一动，又挑起来，还是空钩子。李纹把那钩子拿上来一瞧，原来往里钩了。李纹笑道：『怪不得钓不着！』忙叫素云把钩子敲好了，换上新虫子，上边贴好了苇片儿。垂下去一会儿，见苇片直沉下去，急忙提起来，倒是一个二寸长的鲫瓜儿。李纹笑着道：『宝哥哥钓罢。』宝玉道：『索性三妹妹合邢妹妹钓了我再钓。』岫烟却不答言。只见李绮道：『宝哥哥先钓罢。』说着，水面上起了一个泡儿。探春道：『不必尽着让了。你看那鱼都在三妹妹那边呢，还是三妹妹快着钓罢。』李绮笑着接了钓竿儿，果然沉下去就钓了一个。然后岫烟也钓着了一个，随将竿子仍旧递给探春，探春才递与宝玉。宝玉道：『我是要做姜太公的。』便走下石矶，坐在池边钓起来。（写得生动有味。）岂知那水里的鱼，看见人影儿，都躲到别处去了。宝玉抡着钓竿，等了半天，那钓丝儿动也不动。刚有一个鱼儿在水边吐沫，宝玉把竿子一晃，又唬走了，急的宝玉道：『我最是个性儿急的人，他偏性儿慢，这可怎么样呢？好鱼儿，快来罢！你也成全成全我呢。』（宝玉钓鱼，充当了一个准搅屎棍角色。）说的四人都笑了。一言未了，只见钓丝微微一动。宝玉喜得满怀，用力往上一兜，把钓竿往石上一碰，折作两段，丝也振断了，钩子也不知往那里去了。众人越发笑起来。探春道：『再没见像你这样卤人！』（你钓我钓他钓，钓断竿和丝，钓丢了钩子完事。当代作家高晓声小说《鱼钓》则写钓鱼老手被鱼拖进了水里——被鱼钓了过去完事。）

正说着，只见麝月慌慌张张的跑来说：『二爷，老太太醒了，叫你快去呢。』五个人都唬了一跳。探春便问麝月道：『老太太叫二爷什么事？』麝月道：『我也不知道。就只听见说是什么闹破了，叫宝玉来问，还要叫琏二奶奶一块儿查问呢。』（故弄玄虚，虚张声势。）吓得宝玉发了一回呆，说道：『不知又是那个丫头遭了瘟了。』探春道：『不知什么事，二哥哥，你快去。有什么信儿，先叫麝月来告诉我们一声儿。』说着，便同李纹、李绮、岫烟走了。

宝玉走到贾母房中，只见王夫人陪着贾母摸牌。宝玉看见无事，才把心放下了一半。贾母见他进来，便问道：『你前年那一次大病的时候，后来亏了一个疯和尚和个瘸道士治好了的。那会子病里，你觉得是怎么样？』宝玉想了一回，道：『我记得病的时候儿，好好的站着，倒像背地里有人把我拦头一棍，疼的眼睛前头漆黑，看见满屋子里都是些青面獠牙、拿刀举棒的恶鬼。躺在炕上，觉着脑袋上加了几个脑箍似的。已后便疼的任什么不知道了。到好的时候，又记得堂屋里一片金光，直照到我房里来，那些鬼都跑着躲避，便不见了。我的头也不疼了，心上也就清楚了。』（进一步往实里写，近似画蛇添脚，反无趣味。）贾母告诉王夫人道：『这个样儿也就差不多了。』

说着凤姐也进来了。见了贾母，又回身见过了王夫人，说道：『老祖宗要问我什么？』贾母道：『你前年害了邪病，你还记得怎么样？』凤姐儿笑道：『我也全不记得。但觉自己身子不由自主，倒像有些鬼怪，拉拉扯扯，要我杀人才好。有什么拿什么，见什么杀什么，自己原觉狠乏，只是不能住手。』（没有新情节、新意味、新描述。）贾母道：『好的时候还记得么？』凤姐道：『好的时候好像空中有人说了几句话是的，却不记得说什么来着。』

贾母道："这么看起来，竟是他了。他姐儿两个病中的光景合才说的一样。这老东西竟这样坏心，宝玉枉认了他做干妈！倒是这个和尚道人，阿弥陀佛！才是救宝玉性命的，只是没有报答他。"凤姐道："怎么老太太想起我们的病来呢？"贾母道："你问你太太去，我懒待说。"

王夫人道："才刚老爷进来，说起宝玉的干妈，竟是个混账东西，邪魔外道的。（这是那个时候人们对邪魔外道的认识与估量。）如今闹破了，被锦衣府拿住送入刑部监，要问死罪的了。前几天被人告发的。那个人叫做什么潘三保，有一所房子，卖与斜对过当铺里。这房子加了几倍价钱，潘三保还要加，当铺里那里还肯？潘三保便买嘱了这老东西——因他常到当铺里去，那当铺里人的内眷都与他好的——他就使了个法儿，叫人家的内人便得了邪病，家翻宅乱起来。他又去说，这个病他能治，就用些神马纸钱烧献了，果然见效。他又向人家内眷们要了十几两银子。岂知老佛爷有眼，应该败露了。这一天急要回去，掉了一个绢包儿，当铺里人捡起来一看，里头有许多纸人，还有四丸子狠香的香。正诧异着呢，那老东西倒回来找这绢包儿。这里的人就把他拿住。身边一搜，搜出一个匣子，里面有象牙刻的一男一女，不穿衣服，光着身子的两个魔王，还有七根朱红绣花针。（邪术种种，想得相当天真幼稚。虽然天真幼稚，却也能使许多人相信或将信将疑。）立时送到锦衣府去，问出许多官员家大户太太姑娘们的隐情事来，所以知会了营里，把他家中一抄，抄出好些泥塑的煞神，几匣子闹香。炕背后空屋子里挂着一盏七星灯，灯下有几个草人，有头上戴着脑箍的，有胸前穿着钉子的，有项上拴着锁子的。柜子里无数纸人儿。底下几篇小账，上面记着某家验过，应找银若干。得人家油钱香分也不计其数。"（反正被人嫉恨，被坏人盯住是很

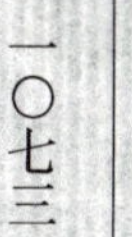

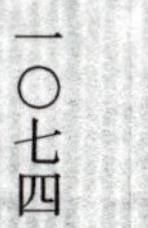

危险的——这种危险不知从何处来。正是这种危险感，产生了种种说法。）凤姐道："咱们的病一准是他。我记得咱们病后，那老妖精向赵姨娘处来过几次，要向赵姨娘讨银子，见了我，便脸上变貌变色，两眼黧鸡是的。我当初还猜疑了几遍，总不知什么原故。如今说起来，却原来都是有因的。但只我在这里当家，自然惹人恨怨，怪不得人治我。宝玉可合人有什么仇呢？忍得下这样毒手！"（怎么不仅是宝玉，连贾母、王夫人直到凤姐也愈益像长不大的孩子了？）贾母道："焉知不因我疼宝玉，不疼环儿，竟给你们种了毒了呢。"王夫人道："这老货已经问了罪，决不好叫他来对证。没有对证，赵姨娘那里肯认账？事情又大，闹出来，外面也不雅。等他自作自受，少不得要自己败露的。"贾母道："你这话说的也是。这样事，没有对证，也难作准。只是佛爷菩萨看的真，他们姐儿两个，如今又比谁不济了呢？（"不济"云云，话说早了。谁能长"济"！）罢了，过去的事，凤哥儿也不必提了。今日你合你太太都在我这边吃了晚饭再过去罢。"遂叫鸳鸯琥珀等传饭。凤姐赶忙笑道："怎么老祖宗倒操起心来？"王夫人也笑了。只见外头几个媳妇伺候。凤姐连忙告诉小丫头子传饭："我合太太都跟着老太太吃。"正说着，只见玉钏儿走来对王夫人道："老爷要找一件什么东西，请太太伺候了老太太的饭完了，自己去找一找呢。"贾母道："你去罢，保不住你老爷有要紧的事。"（这些描写平淡空洞。）

王夫人答应着，便留下凤姐儿伺候，自己退了出来，回至房中，合贾政说了些闲话，把东西找了出来。贾政便问道："迎儿已经回去了，他在孙家怎么样？"王夫人道："迎丫头一肚子眼泪，说孙姑爷凶横的了不得。"因把迎春的话述了一遍。贾政叹道："我原知不是对头。无奈大老爷已说定了，教我也没法。不过迎丫头受些委

屈罢了。』王夫人道：『这还是新媳妇，只指望他已后好了好。』说着，『嗤』的一笑。贾政道：『笑什么？』王夫人道：『我笑宝玉今儿早起，特特的到这屋里来，说的都是些孩子话。』（信息重复。）贾政道：『他说什么？』王夫人把宝玉的言语笑述了一遍。贾政也忍不住的笑，因又说道：『你提宝玉，我正想起一件事来。这小孩子天天放在园里，也不是事。生女儿不得济，还是别人家的人；生儿若不济事，关系非浅。前日倒有人和我提起一位先生来，学问人品都是极好的，也是南边人。但我想南边先生，性情最是和平。咱们城里的孩子，个个踢天弄井，鬼聪明倒是有的，可以搪塞就搪塞过去了；胆子又大，先生再要不肯给没脸，一日哄哥儿是的，没的白耽误了。所以老辈子不肯请外头的先生，只在本家择出有年纪再有点学问的请来掌家塾。如今儒大太爷虽学问也只中平，但还弹压的住这些小孩子们，不至以颟顸了事。我想宝玉闲着总不好，不如仍旧叫他家塾中读书去罢了。』王夫人道：『老爷说的狠是。自从老爷外任去了，他又常病，竟耽搁了好几年。如今且在家学里温习温习，也是好的。』贾政点头，又说些闲话，不提。

且说宝玉次日起来，梳洗已毕，早有小厮们传进话来，说：『老爷叫二爷说话。』宝玉忙整理了衣服，来至贾政书房中，请了安，站着。贾政道：『你近来作些什么功课？虽有几篇字，也算不得什么。（几篇字的故事不能提也！）我看你近来的光景，越发比头几年散荡了；况且每每听见你推病，不肯念书。如今可大好了？我还听见你天天在园子里和姐妹们顽顽笑笑，甚至和那些丫头们混闹，把自己的正经事，总丢在脑袋后头。就是做得几句诗词，也并不怎么样，有什么稀罕处？比如应试选举，到底以文章为主。你这上头倒没有一点儿工夫。我可嘱咐你：自今

日起，再不许做诗做对的了，单要习学八股文章。限你一年，若毫无长进，你也不用念书了，我也不愿有你这样的儿子了。』遂叫李贵来，说：『明儿一早，传焙茗跟了宝玉去收拾应念的书籍，一齐拿过来我看看。亲自送他到家学里去。』喝命宝玉：『去罢！明日起早来见我。』

宝玉听了，半日竟无一言可答，（无言可答，比有言、数言、巧言、伪言可答好。）因回到怡红院来。袭人正在着急听信，见说取书，倒也喜欢。独是宝玉要人即刻送信与贾母，欲叫拦阻。贾母得信，便命人叫过宝玉来，告诉他说：『只管放心先去，别叫你老子生气。有什么难为你，有我呢。』（遇到让宝玉『学好』的事，贾母也只能捣糨糊。）宝玉没法，只得回来，嘱咐了丫头们：『明日早早叫我，老爷要等着送我到家学里去呢。』袭人等答应了，同麝月两个倒替着醒了一夜。

次日一早，袭人便叫醒宝玉，梳洗了，换了衣服，打发小丫头子传了焙茗在二门上伺候，拿着书籍等物。袭人又催了两遍，宝玉只得出来，过贾政书房中来，先打听老爷过来了没有。书房中小厮答应：『方才一位清客相公请老爷回话，里边说：「梳洗呢。」命清客相公出去候着去了。』宝玉听了，心里稍稍安顿，连忙到贾政这边来。（这些交代都似曾、实曾相识。）恰好贾政着人来叫，宝玉便跟着进去。贾政不免又嘱咐几句话，带了宝玉，上了车，焙茗拿着书籍，一直到家塾中来。

早有人先抢一步，回代儒说：『老爷来了。』代儒站起身来，贾政早已走入，向代儒请了安。代儒拉着手问了好，又问：『老太太近日安么？』宝玉过来也请了安。贾政站着，请代儒坐了，然后坐下。贾政道：『我今日

自己送他来，因要求托一番。这孩子年纪也不小了，到底要学个成人的举业，才是终身立身成名之事。如今他在家中，只是和些孩子们混闹。虽懂得几句诗词，也是胡诌乱道的；就是好了，也不过是风云月露，与一生的正事，毫无关涉。」（文艺自然不是正事，甚至妨碍正事。）代儒道：『我看他相貌也还体面，灵性也还去得，为什么不念书，只是心野贪顽？诗词一道，不是学不得的，只要发达了已后，再学还不迟呢。』（发达以后，再附庸风雅，听来恶心。）贾政道：『原是如此。目今只求叫他读书、讲书、作文章。倘或不听教训，还求太爷认真的管教管教他，才不至有名无实的，白耽误了他的一世。』（『有名』是什么意思？不过豪门子弟之名而已。）说毕，站起来，又作了一个揖，然后说了些闲话，才辞了出去。代儒送至门首，说：『老太太前替我问好请安罢。』贾政答应着，自己上车去了。

代儒回身进来，看见宝玉在西南角靠窗户摆着一张花梨小桌，右边堆下两套旧书，薄薄儿的一本文章，叫焙茗将纸墨笔砚都搁在抽屉里藏着。（宝玉读书，一副凄惨相儿。）代儒道：『宝玉，我听见说你前儿有病，如今可大好了？』宝玉站起来道：『大好了。』代儒道：『如今论起来，你可也该用功了。你父亲望你成人，恳切的狠。你且把从前念过的书，打头儿理一遍。每日早起理书，饭后写字，晌午讲书，念几遍文章就是了。』宝玉答应了个『是』，回身坐下时，不免四面一看。见昔时金荣辈不见了几个，又添了几个小学生，都是些粗俗异常的。忽然想起秦钟来，如今没有一个做得伴、说句知心话儿的，心上凄然不乐，却不敢作声，只是闷着看书。（稍稍闪回，对于大长篇，倒也使得。）代儒告诉宝玉道：『今日头一天，早些放你家去罢。明日要讲书了。但是你又不是狠愚夯的，明日我倒要你先讲一两章书我听，试试你近来的工课何如，我才晓得你到怎么个分儿上头。』说得宝玉心中乱跳。欲知明日听解何如，且听下回分解。

『红』写日常生活，叫了去又叫了去，做了诗散了又做诗，吃了又吃，饮了又饮，说了笑话又说笑话。重复是难免的，但大体每次都有特色。这回宝玉又上起学来，倒也可以，只是写得平平。

舒缓一下，也算承前启后。

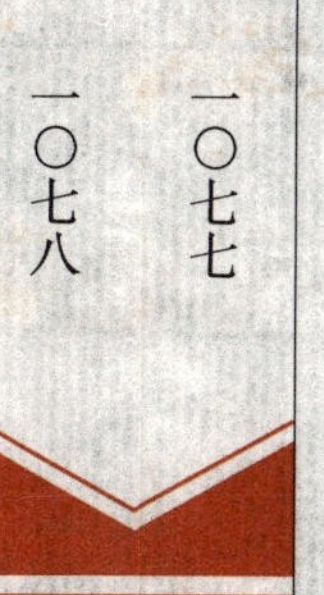

第八十二回　老学究讲义警顽心　病潇湘痴魂惊恶梦

话说宝玉下学回来，见了贾母。贾母笑道：『好了，如今野马上了笼头了。去罢，见见你老爷回来，散散儿去罢。』宝玉答应着，去见贾政。贾政道：『这早晚就下了学了么？师父给你定了工课没有？』宝玉道：『定了。早起理书，饭后写字，晌午讲书念文章。』贾政听了，点点头儿，因道：『去罢，还到老太太那边陪着坐坐去。你也该学些人功道理，别一味的贪顽。晚上早些睡，天天上学，早些起来。你听见了？』

宝玉连忙答应几个『是』，退出来，忙忙又去见王夫人，又到贾母那边打了个照面儿，赶着出来，恨不得一走就走到潇湘馆才好。刚进门口，便拍着手笑道：『我依旧回来了。』猛可里倒唬了黛玉一跳。紫鹃打起帘子，宝玉进来坐下。黛玉道：『我恍惚听见你念书去了，这么早就回来了？』宝玉道：『嗳呀，了不得！我今儿不是被老爷叫了念书去了么？心上倒像没有和你们见面的日子了。好容易熬了一天，这会子瞧见你们，竟如死而复生的一样。真真古人说，「一日三秋」，这话再不错的。』（倒像真情，虽略夸张。）黛玉道：『你上头去过了没有？』宝玉道：『都去过了。』黛玉道：『别处呢？』宝玉道：『没有。』黛玉道：『你也该瞧瞧他们去。』宝玉道：『我这会子懒待动了，只和妹妹坐着，说一会子话儿罢。老爷还叫早睡早起，只好明儿再瞧他们去了。』黛玉道：『你坐坐儿，可是正该歇歇儿去了。』宝玉道：『我那里是乏，只是闷得慌。这会子咱们坐着，才把闷散了，你又催起我来。』黛玉微微的一笑，因叫紫鹃：『把我的龙井茶给二爷沏一碗。二爷如今念书了，比不得头里。』紫鹃笑着答应，去拿茶叶，叫小丫头子沏茶。宝玉接着说道：『还提什么念书，我最厌这些道学话。更可笑的，是八股文章，拿他诓功名，混饭吃，也罢了，还要说「代圣贤立言」。好些的，不过拿些经书凑搭凑搭还罢了；更有一种可笑的，肚子里原没有什么，东拉西扯，弄的牛鬼蛇神，还自以为博奥。这那里是阐发圣贤的道理？（这些见解，第七十三回已讲过。翻过来掉过去，还是那些。斜刺一击，虽不中要害，仍可解颐。）目下老爷口口声声叫我学这个，我又不敢违拗，你这会子还提念书呢！』黛玉道：『我们女孩儿家虽然不要这个，但小时跟着你们雨村先生念书，也曾看过。内中也有近情近理的，也有清微淡远的。那时候虽不大懂，也觉得好，不可一概抹倒。况且你要取功名，这个也清贵些。』（难解。与前八十回不一致。但也并非绝对不可以解释，性格并不是不可更易的铁板一块。）宝玉听到这里，觉得不甚入耳，因想：『黛玉从来不是这样人，怎么也这样势欲熏心起来？』又不敢在他跟前驳回，只在鼻子眼里笑了一声。

正说着，忽听外面两个人说话，却是秋纹和紫鹃。只听秋纹道：『袭人姐姐叫我老太太那里接去，谁知却在这里！』紫鹃道：『我们这里才沏了茶，索性让他喝了再去。』说着，二人一齐进来。宝玉和秋纹笑道：『我就过去。又劳动你来找。』秋纹未及答言，只见紫鹃道：『你快喝了茶去罢，人家都想了一天了。』秋纹啐道：『呸，好混账丫头！』说的大家都笑了。（这些调笑中不无微妙。）宝玉起身，才辞了出来。黛玉送到屋门口儿，紫鹃在台阶下站着，宝玉出去，才回房里来。

却说宝玉回到怡红院中，进了屋子，只见袭人从里间迎出来，便问：『回来了么？』秋纹应道：『二爷早来了。在林姑娘那边来着。』宝玉道：『今日有事没有？』袭人道：『事却没有。方才太太叫鸳鸯姐姐来吩咐我们：如今老爷发狠叫你念书，如有丫鬟们再敢和你顽笑，都要照着晴雯司棋的例办。我想伏侍你一场，赚了这些言语，也没什么趣儿。』说着，便伤起心来。宝玉忙道：『好姐姐，你放心。我只好生念书，太太再不说你们了。我今儿晚上还要看书，明日师父叫我讲书呢。我要使唤，横竖有麝月秋纹呢，你歇歇去罢。』袭人道：『你要真肯念书，我们伏侍你也是欢喜的。』宝玉听得了，赶忙吃了晚饭，就叫点灯，把念过的《四书》翻出来，『只是从何处看起？』翻了一本看去，章章里头，似乎明白；细按起来，却不很明白。看着小注，又看讲章。闹到梆子下来了，自己想道：『我在诗词上觉得狠容易，在这个上头竟没头脑。』（老是把诗词与文章对立着比较。宝玉竟然自我检讨起来了么？）便坐着呆呆的呆想。袭人道：『歇歇罢。做工夫也不在这一时的。』宝玉嘴里只管胡乱答应。麝月袭人才伏侍他睡下，两个才也睡了。及至睡醒一觉，听得宝玉炕上还是翻来复去。袭人道：『你还醒着呢么？（『呢么』连用，倒甚是口语化。）你倒别混想了，养养神，明儿好念书。』宝玉道：『我也是这样想，只是睡不着。你来给我揭去一层被。』袭人道：『天气不热，别揭罢。』宝玉道：『我心里烦躁的狠。』自把被窝褪下来。袭人忙爬起来按住，把手去他头上一摸，觉得微微有些发烧。（学习则烦躁发烧，有趣。）袭人道：『你别动了，有些发烧了。』宝玉道：『可不是。』袭人道：『这是怎么说呢！』宝玉道：『不怕，是我心烦的原故，你别吵嚷。省得老爷知道了，必说我装病逃学，不然，怎么病的这样巧。明儿好了，原到学里去，就完事了。』袭人也觉得可怜，说道：『我靠着你睡罢。』便和宝玉捶了一回脊梁，（袭人捶脊梁，有按摩的服务。）不知不觉，大家都睡着了。

直到红日高升，方才起来。宝玉道：『不好了，晚了！』急忙梳洗毕，问了安，就往学里来了。代儒已经变着脸，说：『怪不得你老爷生气，说你没出息。第二天你就懒惰。这是什么时候才来？』宝玉把昨儿发烧的话说了一遍，方过去了，原旧念书。

到了下晚，代儒道：『宝玉，有一章书，你来讲讲。』宝玉过来一看，却是『后生可畏』章。宝玉心上说：『这还好，幸亏不是《学》《庸》。』问道：『怎么讲呢？』代儒道：『你把节旨句子细细儿讲来。』宝玉把这章先朗朗的念了一遍，说：『这章书是圣人勉励后生，教他及时努力，不要弄到……』说到这里，抬头向代儒一瞧。代儒觉得了，笑了一笑道：『你只管说，讲书是没有什么避忌的。《礼记》上说：「临文不讳。」（临文不讳，甚好。如果反过来呢，多无禁忌，唯讳文！）只管说，「不要弄到」什么？』宝玉道：『不要弄到老大无成。先将「可畏」二字激发后生的志气，后把「不足畏」三字警惕后生的将来。』说罢，看着代儒。代儒道：『也还罢了。串讲呢？』宝玉道：『圣人说：人生少时，心思才力，样样聪明能干，实在是可怕的，那里料得定他后来的日子不像我的今日？若是悠悠忽忽，到了四十岁，又到五十岁，既不能彀发达，这种人，虽是他后生时像个有用的，到了那个时候，

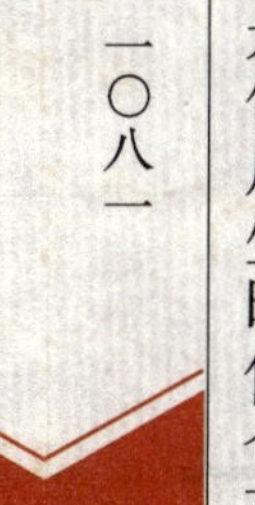

这一辈子就没有人怕他了。』代儒笑道：『你方才节旨讲的倒清楚，只是句子里有些孩子气。「无闻」二字，不是不能发达做官的话。「闻」是实在自己能够明理见道，就不做官也是有「闻」了。不然，古圣贤有循世不见知的，岂不是不做官的人，难道也是无闻么？「不足畏」是使人料得定，方与「焉知」的「知」字对针，不是「怕」的字眼。要从这里看出，方能入细。你懂得不懂得？』（宝玉讲到老大无成，有所避讳，是怕刺激代儒；代儒这样讲，则可为自己这种『不发达』者开脱。）宝玉道：『懂得了。』代儒道：『还有一章，你也讲一讲。』代儒往前揭了一篇，指给宝玉。宝玉看是，『吾未见好德如好色者也』。宝玉觉得这一章却有些刺心，便陪笑道：『这句话没有什么讲头。』代儒道：『胡说！譬如场中出了这个题目，也说没有做头么？』宝玉不得已，讲道：『是圣人看见人不肯好德，见了色，便好的了不得，殊不想德是性中本有的东西，人偏都不肯好他。至于那个色呢，虽也是从先天中带来，无人不好的，但是德乃天理，色是人欲，人那里肯把天理好的像人欲是的？孔子虽是叹息的话，又是望人回转来的意思。并且见得人就有好德的，好得终是浮浅，直要像色一样的好起来，那才是真好呢。』代儒道：『这也讲的罢了。我有句话问你：你既懂得圣人的话，为什么正犯着这两件病？我虽不在家中，你们老爷也不曾告诉我，其实你的毛病，我却尽知的。做一个人，怎么不望长进？你这回儿正是「后生可畏」的时候。「有闻」、「不足畏」，全在你自己做去了。我如今限你一个月，把念过的旧书全要理清。再念一个月文章，已后我要出题目叫你作文章了。如若懈怠，我是断乎不依的。自古道：「成人不自在，自在不成人。」你好生记着我的话。』宝玉答应了，也只得天天按着功课干去，不提。

按照『红』的『百科全书』特色，这一节讲书，也是一种补充。只是愈讲愈没有宝玉的特点了。

且说宝玉上学之后，怡红院中甚觉清净闲暇，袭人倒可做些活计，拿着针线要绣个槟榔包儿。想着如今宝玉有了功课，丫头们可也没有饥荒了，早要如此，晴雯何至弄到没有结果？兔死狐悲，不觉滴下泪来。忽又想到自己终身，本不是宝玉的正配，原是偏房。宝玉的为人，却还拿得住，只怕娶了一个利害的，自己便是尤二姐香菱的后身。素来看着贾母王夫人光景，及凤姐儿往往露出话来，自然是黛玉无疑了。那黛玉就是个多心人。想到此际，脸红心热，拿着针不知戳到那里去了。便把活计放下，走到黛玉处去探探他的口气。（渐渐从外围向宝黛婚姻前景这一主要悬念上引。）

黛玉正在那里看书，见是袭人，欠身让坐。袭人也连忙迎上来问：『姑娘这几天身子可大好了？』黛玉道：『那里能彀？不过略硬朗些。你在家里做什么呢？』袭人道：『如今宝二爷上了学，房中一点事儿没有，因此来瞧瞧姑娘，说说话儿。』

说着，紫鹃拿茶来。袭人忙站起来道：『妹妹坐着罢。』因又笑道：『我前儿听见秋纹说，妹妹背地里说我们什么来着？』紫鹃也笑道：『姐姐信他的话！我说宝二爷上了学，宝姑娘又隔断了，连香菱也不过来，自然是闷的。』袭人道：『你还提香菱呢，这才苦呢，撞着这位「太岁奶奶」，难为他怎么过！』把手伸着两个指头，道：『说起来，比他还利害，连外头的脸面都不顾了。』（袭人来找黛玉谈这些话题，嫌直露了。）黛玉接着道：『他也彀受了，尤二姑娘怎么死了！』袭人道：『可不是，想来都是一个人，不过名分里头差些，何苦这样毒？

外面名声也不好听。』黛玉从不闻袭人背地里说人，今听此话有因，便说道：『这也难说。但凡家庭之事，不是东风压了西风，就是西风压了东风。』（黛玉如何能对家庭之事发表这种见怪不怪的见解？『东风压倒西风』这一著名命题竟可在『红』中找到。当然，用作国际形势的论断时，它被赋予了完全不同的内容。）袭人道：『做了旁边人，心里先怯了，那里倒敢去欺负人呢。』

说着，只见一个婆子在院里问道：『这里是林姑娘的屋子么？那位姐姐在这里呢？』雪雁出来一看，模模糊糊认得是薛姨妈那边的人，便问道：『作什么？』婆子道：『我们姑娘打发来给这里林姑娘送东西的。』雪雁道：『略等等儿。』雪雁进来回了黛玉，黛玉便叫领他进来。那婆子进来，请了安，且不说送什么，只是觑着眼瞧黛玉。看的黛玉脸上倒不好意思起来，因问道：『宝姑娘叫你来送什么？』婆子方笑着回道：『我们姑娘叫给姑娘送了一瓶儿蜜饯荔枝来。』回头又瞧见袭人，便问道：『这位姑娘，不是宝二爷屋里的花姑娘么？』袭人笑道：『妈妈怎么认得我？』婆子笑道：『我们只在太太屋里看屋子，不大跟太太姑娘出门，所以姑娘们都不大认得。姑娘们碰着到我们那边去，我们都模糊记得。』说着，将一个瓶儿递给雪雁，又回头看看黛玉，因笑着向袭人道：『怨不得我们太太说：这林姑娘和你们宝二爷是一对儿。原来真是天仙似的！』袭人见他说话造次，连忙岔道：『妈妈，你乏了，坐坐吃茶罢。』那婆子笑嘻嘻的道：『我们那里忙呢，都张罗琴姑娘的事呢。姑娘还有两瓶荔枝，叫给宝二爷送去。』说着，颤颤巍巍，告辞出去。

黛玉虽恼这婆子方才冒撞，但因是宝钗使来的，也不好怎么样他，等他出了屋门，才说一声道：『给你们姑

娘道费心。』那老婆子还只管嘴里咕咕哝哝的说：『这样好模样儿，除了宝玉，什么人擎受的起。』（浅白无趣。）黛玉只装没听见。袭人笑道：『怎么人到了老来，就是混说白道的，叫人听着又生气，又好笑。』一时雪雁拿过瓶子来给黛玉看，黛玉道：『我懒待吃，拿了搁起去罢。』又说了一回话，袭人才去了。

一时，晚妆将卸，黛玉进了套间，猛抬头看见了荔枝瓶，不禁想起日间老婆子的一番混话，甚是刺心。当此黄昏人静，千愁万绪，堆上心来，想起：『自己身子不牢，年纪又大了，看宝玉的光景，心里虽没别人，但是老太太舅母又不见有半点意思，深恨父母在时，何不早定了这头婚姻。』又转念一想道：『倘若父母在时，别处定了婚姻，怎能彀似宝玉这般人材心地？不如此时尚有可图。』（这个判断是准确的，要害在此。）心内一上一下，辗转缠绵，竟像辘轳一般。叹了一回气，吊了几点泪，无情无绪，和衣倒下。

不知不觉，只见小丫头走来说道：『外面雨村贾老爷请姑娘。』黛玉道：『我虽跟他读过书，却不比男学生，要见我作什么？况且他和舅舅往来，从未提起，我也不便见的。』因叫小丫头回复：『身上有病，不能出来，与我请安道谢就是了。』小丫头道：『只怕要与姑娘道喜，南京还有人来接。』说着，又见凤姐同邢夫人、王夫人、宝钗等都来笑道：『我们一来道喜，二来送行。』黛玉慌道：『你们说什么话？』凤姐道：『你还装什么呆？你难道不知道：林姑爷升了湖北的粮道，娶了一位继母，十分合心合意；如今想着你撂在这里，不成事体，因托了贾雨村作媒，将你许了你继母的什么亲戚，还说是续弦，所以着人到这里来接你回去。大约一到家中，就要过去的，都是你继母作主。怕的是道儿上没有照应，还叫你琏二哥哥送去。』说得黛玉一身冷汗。（现在是梦了，其实极可能是真，比『红』的叙述描写更真。）

黛玉又恍惚父亲果在那里做官的样子。心上急着，硬说道：『没有的事，都是凤姐姐混闹。』只见邢夫人向王夫人使个眼色儿：『他还不信呢，咱们走罢。』黛玉含着泪道：『二位舅母坐坐去。』众人不言语，都冷笑而去。黛玉此时心中干急，又说不出来，哽哽咽咽；（心中干急，虽是粗话，却甚贴切。）恍惚又是和贾母在一处的似的，心中想道：『此事惟求老太太，或还可救。』于是两腿跪下去，抱着贾母的腰说道：『老太太救我！我南边是死也不去的。况且有了继母，又不是我的亲娘，我是情愿跟着老太太一块儿的。』但见老太太呆着脸儿笑道：『这个不干我事。』黛玉哭道：『老太太，这是什么事呢。』老太太道：『续弦也好，倒多一副妆奁。』黛玉哭道：『我若在老太太跟前，决不使这里分外的闲钱，只求老太太救我。』贾母道：『不中用了。做了女人，总是要出嫁的。你孩子家，不知道。在此地终非了局。』黛玉道：『我在这里，情愿自己做个奴婢过活，自做自吃，也是愿意。只求老太太作主。』老太太总不言语。黛玉抱着贾母的腰哭道：『老太太，你向来最是慈悲的，又最疼我的，到了紧急的时候，怎么全不管？不要说我是你的外孙女儿，是隔了一层了；我的娘是你的亲生女儿，看我娘分上，也该护庇些。』说着，撞在怀里痛哭。听见贾母道：『鸳鸯，你来送姑娘出去歇歇，我到被他闹乏了。』

黛玉情知不是路了，求去无用，不如寻个自尽，站起来，往外就走。（亦梦亦真，合情合理，孤独无依，无人做主的苦处，不想不知道，一想受不了。）深痛自己没有亲娘，便是外祖母与舅母姊妹们，平时何等待的好，可见都是假的。又一想：『今日怎么独不见宝玉？或见一面，看他还有法儿。』便见宝玉站在面前，笑嘻嘻的说：（此地用『笑嘻嘻』最妥。）

『妹妹大喜呀！』黛玉听了这一句话，越发急了，也顾不得什么了，把宝玉紧紧拉住，说：『好，宝玉，我今日才知道你是个无情无义的人了！』宝玉道：『我怎么无情无义？你既有了人家儿，咱们各自干各自的了。』黛玉越听越气，越没了主意，只得拉着宝玉哭道：『好哥哥，你叫我跟了谁去？』宝玉道：『你要不去，就在这里住着。你原是许了我的，所以你才到我们这里来。我待你是怎么样的？你也想想。』黛玉恍惚又像果曾许过宝玉的，心内忽又转悲作喜，问宝玉道：『我是死活打定主意的了，你到底叫我去不去？』宝玉道：『我说叫你住下。你不信我的话，你就瞧瞧我的心！』说着，就拿着一把小刀子往胸口上一划，只见鲜血直流。黛玉吓得魂飞魄散，忙用手握着宝玉的心窝，哭道：『你怎么做出这个事来？你先来杀了我罢！』宝玉道：『不怕，我拿我的心给你瞧。』还把手在划开的地方儿乱抓。（前面梦境描写，或嫌过实。这一段却是极精彩的。）黛玉又颤又哭，又怕人撞破，抱住宝玉痛哭。宝玉道：『不好了，我的心没有了，活不得了！』说着，眼睛往上一翻，『咕咚』就倒了。（令人想起《封神演义》中比干的故事。）黛玉拚命放声大哭。只听见紫鹃叫道：『姑娘，姑娘！怎么魇住了？快醒醒儿，脱了衣服睡罢。』

黛玉一翻身，却原来是一场恶梦，喉间犹是哽咽，心上还是乱跳，枕头上已经湿透，肩背身心，但觉冰冷。想了一回，『父亲死得久了，与宝玉尚未放定，这是从那里说起？』又想梦中光景，无倚无靠，再真把宝玉死了，那可怎么样好？一时痛定思痛，神魂俱乱。又哭了一回，遍身微微的出了一点儿汗。扎挣起来，把外罩大袄脱了，叫紫鹃盖好了被窝，又躺下去。翻来复去，那里睡得着？只听得外面淅淅飒飒，又像风声，又像雨声。又停了一会子，

又听得远远的吆呼声儿，却是紫鹃已在那里睡着，鼻息出入之声。自己扎挣着爬起来，围着被坐了一会，觉得窗缝里透进一缕凉风来，吹得寒毛直竖，便又躺下。正要蒙眬睡去，听得竹枝上不知有多少家雀儿的声儿，啾啾唧唧，叫个不住。那窗上的纸，隔着屉子，渐渐的透进清光来。（真实可信。）

这个梦写得不错。入情入理，似假似真，事体虽未必然，情理却未必不然。矛盾愈益尖锐了。黛玉毫无依靠，毫无希望。黛玉梦中宝玉抉心，并非全然不经。前八十回二人的许多痛苦就是由于心曲不通造成的。实际上，宝玉已经抉心多次，而黛玉，既要求他抉心，又怕他抉心。她渴望而又不敢正视宝玉的心。在后四十回中，这节梦算是写得相当精彩的。

黛玉此时已醒得双眸炯炯，一会儿咳嗽起来，连紫鹃都咳嗽醒了。紫鹃道：『姑娘，你还没睡着么？又咳嗽起来了。想是着了风了，这会儿窗户纸发清了，也待好亮起来了。歇歇儿罢，养养神，别尽着想长想短的了。』黛玉道：『我何尝不要睡？只是睡不着。你睡你的罢。』说了，又嗽起来。紫鹃见黛玉这般光景，心中也自伤感，睡不着了。听见黛玉又嗽，连忙起来，捧着痰盒。这时天已亮了。黛玉道：『你不睡了么？』紫鹃笑道：『天都亮了，还睡什么呢？』黛玉道：『既这样，你就把痰盒儿换了罢。』

紫鹃答应着，忙出来换了一个痰盒儿，将手里的这个盒儿放在桌上，开了套间门出来，仍旧带上门，放下撒花软帘，出来叫醒雪雁。开了屋门去倒那盒子时，只见满盒子痰，痰中好些血星，唬了紫鹃一跳，不觉失声道：『嗳哟，这还了得！』（由精神痛苦发展到了身体的危机。）黛玉里面接着问：『是什么？』紫鹃自知失言，连忙改说道：『手里一滑，几乎撂了痰盒子。』黛玉道：『不是盒子里的痰有了什么？』紫鹃道：『没有什么。』说着这句话时，

心中一酸，那眼泪直流下来，声儿早已岔了。

黛玉因为喉间有些甜腥，早自疑惑；方才听见紫鹃在外边诧异，这会子又听见紫鹃说话声音带着悲惨的光景，心中觉了八九分，便叫紫鹃：『进来罢，外头看冷着。』紫鹃答应了一声，这一声更比头里凄惨，竟是鼻中酸楚之音。黛玉听了，凉了半截。（不写黛自睹病变，而写黛对紫鹃的声息的疑惑，这是极有味道的曲笔。）看紫鹃推门进来时，尚拿手帕拭眼。黛玉道：『大清早起，好好的为什么哭？』紫鹃勉强笑道：『谁哭来？早起起来，眼睛里有些不舒服。姑娘今夜大概比往常醒的时候更大罢？我听见咳嗽了大半夜。』黛玉道：『可不是！越要睡，越睡不着。』紫鹃道：『姑娘身上不大好，依我说，还得自己开解着些。身子是根本，俗语说的：「留得青山在，依旧有柴烧。」况这里自老太太、太太起，那个不疼姑娘？』只这一句话，又勾起黛玉的梦来，觉得心里一撞，眼中一黑，神色俱变。紫鹃连忙端着痰盒，雪雁捶起脊梁，半日才吐出一口痰来，痰中一缕紫血，簌簌乱跳。（前八十回，写黛玉的悲观，还是比较含蓄、虚化的，进入此四十回，立刻成了实打实的麻烦了。）紫鹃雪雁脸都吓黄了。两个旁边守着，黛玉便昏昏躺下。紫鹃看着不好，连忙努嘴叫雪雁叫人去。

雪雁才出屋门，只见翠缕翠墨两个人笑嘻嘻的走来。翠缕便道：『林姑娘怎么这早晚还不出门？我们姑娘和三姑娘都在四姑娘屋里，讲究四姑娘画的那张园子景儿呢。』雪雁连忙摆手儿。翠缕翠墨二人倒都吓了一跳，说：『这是什么原故？』雪雁将方才的事一一告诉他二人。二人都吐了吐舌头儿，说：『这可不是顽的！你们怎么不告诉老太太去？这还了得！你们怎么这么糊涂。』雪雁道：『我这里才要去，你们就来了。』

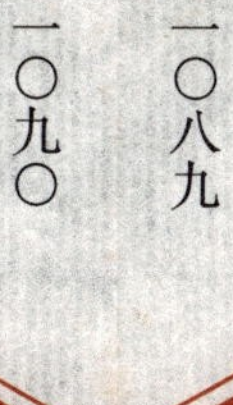

正说着，只听紫鹃叫道：『谁在外头说话？姑娘问呢。』三个人连忙一齐进来。翠缕翠墨见黛玉盖着被，躺在床上，见了他二人，便说道：『谁告诉你们了，你们这样大惊小怪的？』翠墨道：『我们姑娘和云姑娘才都在四姑娘屋里，讲究四姑娘画的那张园子图儿，叫我们来请姑娘来。不知姑娘身上又欠安了。』黛玉道：『也不是什么大病，不过觉得身子略软些，躺躺儿就起来了。你们回去告诉三姑娘和云姑娘，饭后若无事，倒是请他们来这里坐坐罢。宝二爷没到你们那边去？』二人答道：『没有。』翠墨又道：『宝二爷这两天上了学了，老爷天天要查功课，那里还能像从前那么乱跑呢。』（宝二爷一上学，众女儿也是失魂落魄了。这也是『谁也离不开谁了』。）黛玉听了，默然不言。二人又略站了一回，都悄悄的退出来了。

悲哀，悲哀，无尽的悲哀……林黛玉的悲哀具有一种超验的性质。我们可以具体地理解她的悲哀，为爱宝玉而婚姻无人做主。但面临同样的有情人难成眷属的女子多矣，她们或私奔，或自我情感变得麻木，或转移感情，或疯癫，或脾气乖戾乃至专门再去扼杀旁的女子的感情（如王夫人那样），总之，不一定一悲到底。换句话说，即使黛玉与宝玉结了婚，她也会有新的悲哀的。过去以为一切情感都是有缘故的，具体的，可以解决的。读『红』，乃觉不然。林的超验、无条件的悲哀，亦极富震撼力。

且说探春湘云正在惜春那边评论惜春所画『大观园图』，说这个多一点，那个少一点，这个太疏，那个太密。大家又议着题诗，着人去请黛玉商议。正说着，忽见翠缕翠墨二人回来，神色匆忙。湘云便先问道：『林姑娘怎么不来？』翠缕道：『林姑娘昨日夜里又犯了病了，咳嗽了一夜。我们听见雪雁说，吐了一盒子痰血。』探春听了，咤异道：『这话真么？』翠缕道：『怎么不真？』翠墨道：『我们刚才进去去瞧了瞧，颜色不成颜色，说话

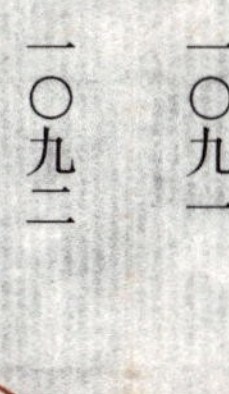

儿的气力儿都微了。』湘云道：『不好的这么着，怎么还能说话呢？』探春道：『怎么你这么糊涂！不能说话，不是已经……』说到这里，却咽住了。惜春道：『林姐姐那样一个聪明人，我看他总有些瞧不破，一点半点儿都要认起真来，天下事那里有多少真的呢？』（惜春讲得固对，但人活着常常是为了自认为真的那一点东西，而自认为真的那一点东西是很有味道的——哪怕日后证明了它的不真。日后知其不真是日后的事情。例如婚姻，新婚甜蜜才结婚，如果婚前就预见了婚后的全部不愉快，那还有新婚的甜蜜吗？那还有结婚的兴趣吗？）探春道：『既这么着，咱们都过去看看。倘若病的利害，咱们好过去告诉大嫂子，回老太太，传大夫进来瞧瞧，也得个主意。』湘云道：『正是这样。』惜春道：『姐姐们先去，我回来再过去。』

于是探春湘云扶了小丫头，都到潇湘馆来。进入房中，黛玉见他二人，不免又伤心起来。因又转念，想起梦中，『连老太太尚且如此，何况他们。况且我不请他们，他们还不来呢！』心里虽是如此，脸上却碍不过去，只得勉强令紫鹃扶起，口中让坐。探春湘云都坐在床沿上，一头一个；看了黛玉这般光景，也自伤感。探春便道：『姐姐怎么身上又不舒服了？』黛玉道：『也没什么要紧，只是身子软得狠。』紫鹃在黛玉身后，偷偷的用手指那痰盒儿。湘云到底年轻，性情又兼直爽，伸手便把痰盒拿起来看。不看则已，看了吓的惊疑不止，说：『这是姐姐吐的？这还了得！』初时黛玉昏昏沉沉，吐了也没细看，此时见湘云这么说，回头看时，自己早已灰了一半。探春见湘云冒失，连忙解说道：『这不过是肺火上炎，带出一半点来，也是常事。偏是云丫头，不拘什么，就这样蝎蝎螫螫的！』湘云红了脸，自悔失言。（谁也不可能真正帮助你。）

探春见黛玉精神短少，似有烦倦之意，连忙起身说道：『姐姐静静的养养神罢。我们回来再瞧你。』黛玉道：『累你二位惦着。』探春又嘱咐紫鹃：『好生留神伏侍姑娘。』紫鹃答应着。（这样的叙述合情理，但不精彩，太一般。）探春才要走，只听外面一个人嚷起来。未知是谁，下回分解。

宝玉二次上学远无第一次上学、茗烟闹书房的生动活泼了。特别是学堂状况，一字也写不真切。这样安排亦煞费苦心。宝玉一上学，黛玉更寂寞了。宝黛爱情线，发展得很慢，几乎无法发展。这一回，又有加速发展、矛盾加速尖锐化的迹象。

讲义虚套，噩梦惊心，破灭的过程也令作者煞费苦心。

第八十三回　省宫闱贾元妃染恙　闹闺阃薛宝钗吞声

话说探春湘云才要走时，忽听外面一个人嚷道：『你这不成人的小蹄子！你是个什么东西，来这园子里头混搅！』黛玉听了，大叫一声道：『这里住不得了！』一手指着窗外，两眼反插上去。（已是死兆。）原来黛玉住在大观园中，虽靠着贾母疼爱，然在别人身上，凡事终是寸步留心。听见窗外老婆子这样骂着，在别人呢，一句是贴不上的，竟像专骂着自己的。（这个岔打得人心惊。）自思一个千金小组，只因没了爹娘，不知何人指使这老婆子来这般辱骂，那里委屈得来！因此，肝肠崩裂，哭晕去了。紫鹃只是哭叫：『姑娘怎么样了？快醒转来罢。』探春也叫了一回。半晌，黛玉回过这口气，还说不出话来，那只手仍向窗外指着。

探春会意，开门出去，看见老婆子手中拿着拐棍，赶着一个不干不净的毛丫头道：『我是为照管这园中的花

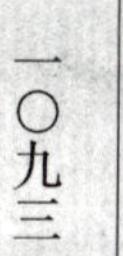

果树木，来到这里，你作什么来了？等我家去，打你一个知道。』这丫头扭着头，把一个指头探在嘴里，瞅着老婆子笑。探春骂道：『你们这些人，如今越发没了王法了，这里是你骂人的地方儿吗！』老婆子见是探春，连忙陪着笑脸儿说道：『刚才是我的外孙女儿，看见我来了，他就跟了来。我怕他闹，所以才吆喝他回去，那里敢在这里骂人呢。』探春道：『不用多说了，快给我都出去。这里林姑娘身上不大好，还不快去么！』老婆子答应了几个『是』，说着，一扭身去了，那丫头也就跑了。

探春回来，看见湘云拉着黛玉的手只管哭，紫鹃一手抱着黛玉，一手给黛玉揉胸口，（揉胸口云云，缺少美感。）黛玉的眼睛方渐渐的转过来了。探春笑道：『想是听见老婆子的话，你疑了心了么？』黛玉只摇摇头儿。探春道：『他是骂他外孙女儿，我才刚也听见了。这种东西说话，再没有一点道理的。他们懂得什么避讳。』黛玉听了，点点头儿，拉着探春的手道：『妹妹。』叫了一声，又不言语了。探春又道：『你别心烦。我来看你，是姊妹们应该的。你又少人伏侍。只要你安心肯吃药，心上把喜欢事儿想想，能彀一天一天的硬朗起来，大家依旧结社做诗，岂不好呢。』（须知好花不长开，好景不长在也。）湘云道：『可是三姐姐说的，那么着不乐？』黛玉哽咽道：『你们只顾要我喜欢，可怜我那里赶得上这日子？只怕不能彀了！』探春道：『你这话说的太过了。谁没个病儿灾儿的，那里就想到这里来了？你好生歇歇儿罢。我们到老太太那边，回来再看你。你要什么东西，只管叫紫鹃告诉我。』（这些话也嫌浅白直露。）黛玉流泪道：『好妹妹，你到老太太那里，只说我请安，身上略有点不好，不是什么大病，也不用老太太烦心的。』探春答应道：『我知道，你只管养着罢。』说着，才同湘云出去了。

这里紫鹃扶着黛玉躺在床上，地下诸事，自有雪雁照料，自己只守着傍边看着黛玉，又是心酸，又不敢哭泣。（写紫鹃心态行为，大致不差。）那黛玉闭着眼躺了半晌，那里睡得着！觉得园里头平日只见寂寞，如今躺在床上，偏听得风声，虫鸣声，鸟语声，人走的脚步响声，又像远远的孩子们啼哭声，一阵一阵的聒噪的烦躁起来，因叫紫鹃放下帐子来。（这个感觉写得逼真。写主观感觉，这在我国传统小说中并不多见。）雪雁捧了一碗燕窝汤，递与紫鹃。紫鹃隔着帐子，轻轻问道：『姑娘，喝一口汤罢？』黛玉微微应了一声，紫鹃复将汤递给雪雁，自己上来，搀扶黛玉坐起，然后接过汤来，搁在唇边试了一试，一手搂着黛玉肩臂，一手端着汤送到唇边。黛玉微微睁眼喝了两三口，便摇摇头儿不喝了。紫鹃仍将碗递给雪雁，轻轻扶黛玉睡下。

静了一时，略觉安顿，只听窗外悄悄问道：『紫鹃妹妹在家么？』雪雁连忙出来，见是袭人，因悄悄说道：『姐姐屋里坐着。』袭人也便悄悄问道：『姑娘怎么着？』一面走，一面雪雁告诉夜间及方才之事。袭人听了这话，也唬怔了，因说道：『怪道刚才翠缕到我们那边说你们姑娘病了，唬的宝二爷连忙打发我来，看看是怎么样。』

正说着，只见紫鹃从里间掀起帘子，望外看见袭人，点头儿叫他。袭人轻轻走过来，问道：『姑娘睡着了吗？』紫鹃点点头儿，问道：『姐姐才听见说了？』袭人也点点头儿，蹙着眉道：『终久怎么样好呢？那一位昨夜也把我唬了个半死儿。』紫鹃忙问：『怎么了？』袭人道：『昨日晚上睡觉，还是好好儿的。谁知半夜里，一叠连声的嚷起心疼来，嘴里胡说白道，只说好像刀子割了去的是的。直闹到打亮梆子以后才好些了。你说唬人不唬人？今日不能上学，还要请大夫来吃药呢。』（心电感应，第六感官，『红』已有之。不是作为『科幻』，而是作为『情痴』的浪漫化处理，就有其精彩之处。）

正说着，只听黛玉在帐子里又咳嗽起来，紫鹃连忙过来捧痰盒儿接痰。黛玉微微睁眼问道：『你合谁说话呢？』紫鹃道：『袭人姐姐来瞧姑娘来了。』（前八十回，袭人并不常到黛玉这边来，近连来两次，想是晴雯已不在了的缘故，客观上也是黛玉更加受到压迫的一个方面。）说着，袭人已走到床前。黛玉命紫鹃扶起，一手指着床边，让袭人坐下。袭人侧身坐了，连忙陪着笑劝道：『姑娘倒还是躺着罢。』黛玉道：『不妨，你们快别这样大惊小怪的。刚才是说谁半夜里心疼起来？』袭人道：『是宝二爷偶然魇住了，不是认真怎么样。』黛玉会意，知道是袭人怕自己又悬心的原故，又感激，又伤心，因趁势问道：『既是魇住了，不听见他还说什么？』（宝玉与她心连心，她感动、伤心。）袭人道：『也没说什么。』黛玉点点头儿，迟了半日，叹了一声，才说道：『你们别告诉宝二爷说我不好，看耽搁了他的工夫，又叫老爷生气。』（宝玉有时对她关照不足，她也是气恼、伤心。她的爱情便是伤心恋，她的情史便是伤心史。）袭人答应了，又劝道：『姑娘，还是躺躺歇歇罢。』黛玉点头，命紫鹃扶着歪下。袭人不免坐在旁边，又宽慰了几句，然后告辞。回到怡红院，只说黛玉身上略觉不受用，也没什么大病。宝玉才放了心。

大观园之变，晴雯之死，司棋、芳官等人之逐，直至迎春、薛蟠婚事之不如意，应亦对黛玉有相当刺激。客观上，这些东西与她的病重紧紧相连。结构上的蒙太奇效果虽然不就是因果关系的判定，起码是因果关系的暗示。具体描写则黛玉只关心自己，从不为别人操心。这一点与宝玉大不相同。

且说探春湘云出了潇湘馆，一路往贾母这边来。探春因嘱咐湘云道：『妹妹回来见了老太太，别像刚才那样

冒冒失失的了。』湘云点头笑道：『知道了。我头里是叫他唬的忘了神了。』说着，已到贾母那边，探春因提起黛玉的病来。贾母听了，自是心烦，因说道：『偏是这两个「玉」儿多病多灾的。林丫头一来二去的大了，他这个身子也要紧。我看那孩子太是个心细。』（微词。故众人不敢搭言。）众人也不敢答言。贾母便向鸳鸯道：『你告诉他们，明儿大夫来瞧了宝玉，就叫他到林姑娘那屋里去。』鸳鸯答应着出来，告诉了婆子们。婆子们自去传话。这里探春湘云就跟着贾母吃了晚饭，然后同回园中去，不提。（没意思的一些交代。）

到了次日，大夫来了。瞧了宝玉，不过说饮食不调，着了点儿风邪，没大要紧，疏散疏散就好了。（医学有其极无力的一面。）这里王夫人凤姐等，一面遣人拿了方子回贾母，一面使人到潇湘馆，告诉说：『大夫就过来。』紫鹃答应了，连忙给黛玉盖好被窝，放下帐子，雪雁赶着收拾房里的东西。

一时，贾琏陪着大夫进来了，便说道：『这位老爷是常来的，姑娘们不用回避。』老婆子打起帘子，贾琏让着，进入房中坐下。贾琏道：『紫鹃姐姐，你先把姑娘的病势向王老爷说说。』王大夫道：『且慢说。等我诊了脉，听我说了，看是对不对。若有不合的地方，姑娘们再告诉我。』（与第十回张太医给可卿看病，不让贾蓉说病情的路子一致。其实医术高低并不表现在这里。至今有看医生而不肯讲病情以『考验』医生者，蠢乎哉！）紫鹃便向帐中扶出黛玉的一只手来，搁在迎手上。紫鹃又把镯子连袖子轻轻的搂起，不叫压住了脉息。那王大夫诊了好一会儿，又换那只手也诊了，便同贾琏出来，到外间屋里坐下，说道：『六脉皆弦，因平日郁结所致。』说着，紫鹃也出来，站在里间门口。那王大夫便向紫鹃道：『这病时常应得头晕，减饮食，多梦；每到五更，必醒个几次；即日间听见不干自己的事，

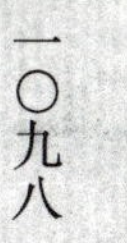

也必要动气，且多疑多惧。不知者疑为性情乖诞，其实因肝阴亏损，心气衰耗，都是这个病在那里作怪。（精神症状与身体症状密切相关。）不知是否？』紫鹃点点头儿，向贾琏道：『说的狠是。』王太医道：『既这样，就是了。』

说毕，起身同贾琏往外书房去开方子。小厮们早已预备下一张梅红单帖。王太医吃了茶，因提笔先写道：

六脉弦迟，素由积郁。左寸无力，心气已衰。关脉独洪，肝邪偏旺。木气不能疏达，势必上侵脾土，饮食无味；甚至胜所不胜，肺金定受其殃。气不流精，凝而为痰；血随气涌，自然咳吐。理宜疏肝保肺，涵养心脾。虽有补剂，未可骤施。姑拟『黑逍遥』以开其先，后用『归肺固金』以继其后。不揣固陋，俟高明裁服。

又将七味药与引子写了。（屡写中医诊病，好歹自成体系，各有说词。）

贾琏拿来看时，问道：『血势上冲，柴胡使得么？』王大夫笑道：『二爷但知柴胡是升提之品，为吐衄所忌，岂知用鳖血拌炒，非柴胡不足宣少阳甲胆之气。以鳖血制之，使其不致升提，且能培养肝阴，制遏邪火。所以《内经》说：「通因通用，塞因塞用。」柴胡用鳖血拌炒，正是「假周勃以安刘」的法子。』（又论一次医病。中国式的普适性思维，用药如用人，乃至用兵。想象性大于实证性。）贾琏点头道：『原来是这么着。这就是了。』王大夫又道：『先请服两剂，再加减，或再换方子罢。我还有一点小事，不能久坐，容日再来请安。』说着，贾琏送了出来，说道：『舍弟的药就是那么着了？』王大夫道：『宝二爷倒没什么大病，大约再吃一剂就好了。』（反衬黛玉病得不轻。）说着，上车而去。

这里贾琏一面叫人抓药，一面回到房中告诉凤姐黛玉的病原，与大夫用的药，述了一遍。只见周瑞家的走来，回了几件没要紧的事。贾琏听到一半，便说道：『你回二奶奶罢，我还有事呢。』说着，就走了。周瑞家的回完了这件事，又说道：『我方才到林姑娘那边，看他那个病，竟是不好呢。脸上一点血色也没有，摸了摸身上，只剩得一把骨头。问问他，也没有话说，只是淌眼泪。回来紫鹃告诉我说：「姑娘现在病着，要什么，自己又不肯要，我打算要问二奶奶那里支用一两个月的月钱。如今吃药，虽是公中的，零用也得几个钱。」我答应了他，替他来回奶奶。』凤姐低了半日头，说道：『竟这么着罢，我送他几两银子使罢。也不用告诉林姑娘。这月钱却是不好支的。一个人开了例，要是都支起来，那如何使得呢？你不记得赵姨娘和三姑娘拌嘴了？也无非为的是月钱。况且近来你也知道，出去的多，进来的少，总绕不过湾儿来。不知道的，还说我打算的不好。更有那一种嚼舌根的，说我搬运到娘家去了。（凤姐的难处，钱财的难处，管理的难处，做人的难处，纠结在一起。）周嫂子，你倒是那里经手的人，这个自然还知道些。』周瑞家的道：『真正委屈死人！这样大门头儿，除了奶奶这样心计儿当家罢了。别说是女人当不来，就是三头六臂的男人，还撑不住呢。还说这些个混账话。』（所谓「大有大的难处」，所谓「一家一本难念的经」。）说着，又笑了一声，道：『奶奶还没听见呢，外头的人还更糊涂呢。前儿，周瑞回家来，说起外头的人，打谅着咱们府里不知怎么样有钱呢。也有说：「贾府里的银库几间，金库几间，使的家伙都是金子镶了、玉石嵌了的。」也有说：「姑娘做了王妃，自然皇上家的东西分的了一半子给娘家。前儿贵妃娘娘省亲回来，我们还亲见他带了几车金银回来，所以家里收拾摆设的水晶宫是的。那日在庙里还愿，花了几万银子，只算得牛身上拔了一根毛罢咧。」有人还说：「他门前的狮子，只怕还是玉石的呢！园子里还有金麒麟，叫人偷了一个去，如今剩下一个了。家里的奶奶姑娘不用说，就是屋里使唤的姑娘们，也是一点儿不动，喝酒下棋，弹琴画画，横竖有伏侍的人呢，单管穿罗罩纱；吃的带的，都是人家不认得的。那些哥儿姐儿们，更不用说了，要天上的月亮，也有人去拿下来给他顽。」还有歌儿呢，说是：「宁国府，荣国府，金银财宝如粪土。吃不穷，穿不穷，算来……」』（这些话倒生动真实，可笑亦复可悲。人与人之间，阶级与阶级之间的隔膜，难以交通，大矣。）说到这里，猛然咽住。（话可以咽住，大趋势能够扭转吗？）原来那时歌儿说道是『算来总是一场空』，这周瑞家的说溜了嘴，说到这里，忽然想起这话不好，因咽住了。（大富之家的艰窘穷困，外人难知。外人但以为他们富而又富，何能知道高一尺，魔高一丈，在他们的那个经济生活中，他们也痛感穷困之难之苦。犹如权贵，别人但知其颐指气使，怎知其战战兢兢，深渊薄冰，左右为难，上下夹攻！）

凤姐儿听了，已明白必是句不好的话了，也不便追问。因说道：『那都没要紧，只是这「金麒麟」的话从何而来？』周瑞家的笑道：『就是那庙里的老道士送给宝二爷的小金麒麟儿。后来丢了几天，亏了史姑娘捡着，还了他，外头就造出这个谣言来了。奶奶说这些人可笑不可笑？』（回应三十一回。）凤姐道：『这些话倒不是可笑，倒是可怕的！咱们一日难似一日，外面还是这么讲究。俗语儿说的，「人怕出名猪怕壮」，况且又是个虚名儿。终久还不知怎么样呢。』（此话清醒。「人怕出名」云云，至今流行在人们的口头上。毛泽东氏亦爱用此谚。）周瑞家的道：『奶奶虑的也是。只是满城里茶坊酒铺儿以及各胡同儿，都是这样说，并且不是一年了。那里握的住众人的嘴？』（人言可畏。人言难防难禁。）凤姐点点头儿。因叫平儿称了几两银子，递给周瑞家的道：『你先拿去交给紫鹃，只说我给他添补买东西的。若要官中的，只管要去，别提这月钱的话，他也是个伶透人，自然明白我的话。我得了空儿，就去瞧姑娘去。』周瑞家的接了银子，答应着自去，不提。

且说贾琏走到外面，只见一个小厮迎上来，回道：『大老爷叫二爷说话呢。』贾琏急忙过来，见了贾赦。贾赦道：『方才风闻宫里头传了一个太医院御医、两个吏目去看病，想来不是宫女儿下人了。这几天，娘娘宫里有什么信儿没有？』贾琏道：『没有。』贾赦道：『你去问问二老爷和你珍大哥，不然，还该叫人去到太医院里打听打听才是。』贾琏答应了，一面吩咐人往太医院去，一面连忙去见贾政贾珍。贾政听了这话，因问道：『是那里来的风声？』贾琏道：『是大老爷才说的。』贾政道：『你索性和你珍大哥到里头打听打听。』贾琏道：『我已经打发人往太医院打听去了。』一面说着，一面退出来去找贾珍。只见贾珍迎面来了，贾琏忙告诉贾珍。贾珍道：『我正为也听见这话，来回大老爷二老爷去的。』于是两个人同着来见贾政。贾政道：『如系元妃，少不得终有信的。』说着，贾赦也过来了。

到了晌午，打听的尚未回来，门上人进来回说：『有两个内相在外，要见二位老爷呢。』贾赦道：『请进来。』门上的人领了老公进来。贾赦贾政迎至二门外，先请了娘娘的安，一面同着进来，走至厅上，让了坐。老公道：『前日这里贵妃娘娘有些欠安，（黛玉的病，已经过诸多铺垫，元妃的病，则似从天上猛然摔下来。对于小说结构来说，病这个元素的方便处是招之即来，挥之即去。如今的电视剧也是这样，戏不够，癌症凑。）昨日奉过旨意，宣召亲丁四人，进里头探问。许各带丫头一人，余皆不用。亲丁男人，只许在宫门外递个职名请安，听信，不得擅入。准于明日辰巳时进去，申酉时出来。』

贾政贾赦等站着听了旨意，复又坐下，让老公吃茶毕，老公辞了出去。贾赦贾政送出大门，回来先禀贾母。

贾母道：『亲丁四人，自然是我和你们两位太太了。那一个人呢？』众人也不敢答言。贾母想了想，道：『必得是凤姐儿，他诸事有照应。你们爷儿们各自商量去罢。』（虽然仍是青睐凤姐，却只给人以不祥之感。）贾赦贾政答应了出来，因派了贾琏贾蓉看家外，凡『文』字辈至『草』字辈一应都去。遂吩咐家人预备四乘绿轿，十余辆大车，明儿黎明伺候。家人答应去了。贾赦贾政又进去回明老太太：『辰巳时进去，申酉时出来。今日早些歇歇，明日好早些起来，收拾进宫。』贾母道：『我知道，你们去罢。』赦政等退出。这里邢夫人、王夫人、凤姐儿也都说了一会子元妃的病，又说了些闲话，才各自散了。

次日黎明，各间屋子丫头们将灯火俱已点齐，太太们各梳洗毕，爷们亦各整顿好了；一到卯初，林之孝合赖大进来，至二门口回道：『轿车俱已齐备，在门外伺候着呢。』不一时，贾赦邢夫人也过来了。大家用了早饭，凤姐先扶老太太出来，众人围随，各带使女一人，缓缓前行。又命李贵等二人先骑马去外宫门接应，自己家眷随后。『文』字辈至『草』字辈各自登车骑马，跟着众家人，一齐去了。（也是排场，唯气氛与省亲时大不相同。曾几何时，面目全非，哀哉！）贾琏贾蓉在家中看家。

且说贾家的车辆轿马，俱在外西垣门口歇下等着，一会儿，有两个内监出来，说道：『贾府省亲的太太奶奶们，着令入宫探问；爷们，俱着令内宫门外请安，不得入见。』（『礼』的要义在于把人们隔开，如山，如河，如铁丝网。这其实反映了人与人之间的矛盾、警惕、冲突。这是中国式的『他人即地狱』。记住，保持距离即『礼』。）门上人叫：『快进去。』贾府中四乘轿子跟着小内监前行，贾家爷们在轿后步行跟着，令众家人在外等候。走近宫门口，只见几个老公在

门上坐着。见他们来了，便站起来说道：『贾府爷们至此。』贾赦贾政便捱次立定。轿子抬至宫门口，便都出了轿，早有几个小内监引路，贾母等各有丫头扶着步行。走至元妃寝宫，只见金壁辉煌，琉璃照耀。又有两个小宫女儿传谕道：『只用请安，一概仪注都免。』贾母等谢了恩，来至床前，请安毕，元妃都赐了坐。贾母等又告了坐。元妃便问贾母道：『近日身上可好？』贾母扶着小丫头，颤颤巍巍站起来，答应道：『托娘娘洪福，起居尚健。』（君臣之礼，肃杀得很。）元妃又向邢夫人王夫人问了好。邢王二夫人站着回了话。元妃又问凤姐：『家中过的日子若何？』凤姐站起来回奏道：『尚可支持。』元妃道：『这几年来，难为你操心！』凤姐正要站起来回奏，只见一个宫女传进许多职名，请娘娘龙目。元妃看时，就是贾赦贾政等若干人。那元妃看了职名，眼圈儿一红，止不住流下泪来。宫女儿递过绢子，元妃一面拭泪，一面传谕道：『今日稍安，令他们外面暂歇。』贾母等站起来，又谢了恩。元妃含泪道：『父女弟兄，反不如小家子得以常常亲近！』（再重复以前的话。）贾母等都忍着泪道：『娘娘不用悲伤，家中已托着娘娘的福多了。』元妃又问：『宝玉近来若何？』贾母道：『近来颇肯念书。因他父亲逼得严紧，如今文字也都做上来了。』元妃道：『这样才好。』遂命外宫赐宴。便有两个宫女儿，四个小太监，引了到一座宫里。已摆得齐整，各按坐次坐了。不必细述。

一时吃完了饭，贾母带着他婆媳三人，谢过宴。又耽搁了一回，看看已近酉初，不敢羁留，俱各辞了出来。元妃命宫女儿引道，送至内宫门，门外仍是四个小太监送出。贾母等依旧坐着轿子出来，贾赦接着，大伙儿一齐回去。到家，又要安排明后日进宫，仍令照应齐集，不提。（又病了一个，病即命，命蹇病急。此次探望，病情未见严重，但为以后

（的元妃之死做好了铺垫。）

且说薛家夏金桂赶了薛蟠出去，日间拌嘴，没有对头，秋菱又住在宝钗那边去了，只剩得宝蟾一人同住。既给与薛蟠作妾，宝蟾的意气又不比从前了，（恰如秋桐之与贾琏。）金桂看去，更是一个对头，自己也后悔不来。一日，吃了几杯闷酒，躺在炕上，便要借那宝蟾做个醒酒汤儿，因问着宝蟾道：『大爷前日出门，到底是到那里去，你自然是知道的了？』（寻衅起事。）宝蟾道：『我那里知道？他在奶奶跟前还不说，谁知道他那些事！』金桂冷笑道：『如今还有什么「奶奶」「太太」的？都是你们的世界了。别人是惹不得的，有人护庇着，我也不敢去虎头上捉虱子；你还是我的丫头，问你一句话，你就和我摔脸子，说塞话。你既这么有势力，为什么不把我勒死了，你和秋菱，不拘谁做了奶奶，那不清净了么！偏我又不死，碍着你们的道儿。』（坏人说话不受约束，往往比『好人』丰富生动。这是『坏人优势』之一。）宝蟾听了这话，那里受得住？便眼睛直直的瞅着金桂道：『奶奶这些闲话只好说给别人听去！我并没合奶奶说什么。奶奶不敢惹人家，何苦来拿着我们小软儿出气呢？正经的，奶奶又装听不见，「没事人一大堆」了。』（如系续作，写到这一段，语言也就算够生动的了。）说着，便哭天哭地起来。金桂越发性起，便爬下炕来，要打宝蟾。宝蟾也是夏家的风气，半点儿不让。金桂将桌椅杯盏尽行打翻，那宝蟾只管喊冤叫屈，那里理会他半点儿。

岂知薛姨妈在宝钗房中，听见如此吵嚷，叫香菱：『你去瞧瞧，且劝劝他。』宝钗道：『使不得，妈妈别叫他去。他去了，岂能劝他？那更是火上浇了油了。』薛姨妈道：『既这么样，我自己过去。』宝钗道：『依我说，

妈妈也不用去，由着他们闹去罢。这也是没法儿的事了。』薛姨妈道：『这那里还了得！』说着，自己扶了丫头，往金桂这边来。宝钗只得也跟着过去。又嘱咐香菱道：『你在这里罢。』（香菱是甄士隐之女英莲，读者未能稍忘，宝钗能庇护她，得分。）

母女同至金桂房门口，听见里头正还嚷哭不止。薛姨妈道：『你们是怎么着，又这样家翻宅乱起来？这还像个人家儿吗？矮墙浅屋的，难道都不怕亲戚们听见笑话了么？』（劝架本是人间极难之事。何况是薛姨妈劝金桂。）金桂屋里接声道：『我倒怕人笑话呢！只是这里「扫帚颠倒竖」，也没有主子，也没有奴才，也没有妻，没有妾，是个混账世界了！我们夏家门子里没见过这样规矩，实在受不得你们家这样委屈了！』（国之将亡，必有妖孽；家之将败，必有刁悍。）宝钗道：『大嫂子，妈妈因听见闹得慌才过来的，就是问的急了些，没有分清「奶奶」「宝蟾」两字，也没有什么。如今且先把事情说开，大家和和气气的过日子，也省的妈妈天天为咱们操心那。』薛姨妈道：『是啊，先把事情说开了，你再问我的不是，还不迟呢。』金桂道：『好姑娘，好姑娘！你是个大贤大德的。你日后必定有个好人家，好女婿，决不像我这样守活寡，举眼无亲，叫人家骑上头来欺负的。我是个没心眼儿的人，只求姑娘，我说话，别往死里挑捡，我从小儿到如今，没有爹娘教道。再者，我们屋里老婆、汉子、大女人、小女人的事，姑娘也管不得！』

宝钗听了这话，又是羞，又是气；见他母亲这样光景，又是疼不过。（宝钗够能忍的了，但她陪着母亲来劝嫂子，仍属多事。）因忍了气，说道：『大嫂子，我劝你少说句儿罢。谁挑捡你？又是谁欺负你？不要说是嫂子，就是秋菱，

我也从来没有加他一点声气儿的。』金桂听了这几句话，更加拍着炕沿大哭起来说：『我那里比得秋菱？连他脚底下的泥我还跟不上呢！他是来久了的，知道姑娘的心事，又会献勤儿。我是新来的，又不会献勤儿，如何拿我比他？何苦来，天下有几个都是贵妃的命？行点好儿罢。别修的像我嫁个糊涂行子，守活寡，那就是活活儿的现了眼了！』薛姨妈听到那里，万分气不过，便站起身来道：『不是我护着自己的女孩儿，他句句劝你，你却句句怄他。你有什么过不去，不要寻他，勒死我倒也是希松的。』宝钗忙劝道：『妈妈，你老人家不用动气。咱们既来劝他，自己生气，倒多了层气。不如且出去，等嫂子歇歇儿再说。』因吩咐宝蟾道：『你可别再多嘴了。』跟了薛姨妈，出得房来。（宝钗的承受力第一流。）

走过院子里，只见贾母身边的丫头同着秋菱迎面走来。薛姨妈道：『你从那里来，老太太身上可安？』那丫头道：『老太太身上好，叫来请姨太太安，还谢谢前儿的荔枝，还给琴姑娘道喜。』宝钗道：『你多早晚来的？』那丫头道：『来了好一会子了。』薛姨妈料他知道，红着脸说道：『这如今，我们家里闹得也不像个过日子的人家了，叫你们那边听见笑话。』丫头道：『姨太太说那里的话？谁家没个「碟大碗小，磕着碰着」的呢。那是姨太太多心罢咧。』说着，跟了回到薛姨妈房中，略坐了一回，就去了。

宝钗正嘱咐香菱些话，只听薛姨妈忽然叫道：『左肋疼痛的狠！』说着，便向炕上躺下。唬得宝钗香菱二人手足无措。要知后事如何，下回分解。

全是不祥不妙而且酝酿着更大的不祥不妙的事。虽说是『树倒猢狲散』『病来如山倒』『颓势不可救』，也还要入情入理地一步一步地倒，一层一层地颓。悲剧性就恰在这一步步、一层层里。如厄运如原子弹，一声巨响，大观园、荣、宁府片瓦无存人影无有，反而不悲、无可悲了。

宝黛俱病，二病相通。元春亦病，似有不幸。薛家悍妇，前来助兴。乱中见微，磕磕碰碰。人有祸福，家有吉凶。

第八十四回　试文字宝玉始提亲　探惊风贾环重结怨

却说薛姨妈一时因被金桂这场气怄得肝气上逆，左肋作痛。宝钗明知是这个原故，也等不及医生来看，先叫人去买了几钱钩藤来，浓浓的煎了一碗，给他母亲吃了。又和秋菱给薛姨妈捶腿揉胸。（一个接一个地揉胸，呜呼。）停了一会儿，略觉安顿。这薛姨妈只是又悲又气，气的是金桂撒泼，悲的是宝钗有涵养，倒觉可怜。宝钗又劝了一回，不知不觉的睡了一觉，肝气也渐渐平复了。宝钗便说道：『妈妈，你这种闲气不要放在心上才好。过几天走的动了，乐得往那边老太太姨妈处去说说话儿，散散闷也好。家里横竖有我和秋菱照看着，谅他也不敢怎么样。』薛姨妈点点头道：『过两日看罢了。』

且说元妃疾愈之后，家中俱各喜欢。（也是欲擒又纵。）过了几日，有几个老公走来，带着东西银两，宣贵妃娘娘之命，因家中省问勤劳，俱有赏赐，把物件银两一一交代清楚。贾赦贾政等禀明了贾母，一齐谢恩毕，太监吃了茶去了。大家回到贾母房中，说笑了一回，外面老婆子传进来说：『小厮们来回道：「那边有人请大老爷说要紧的话呢。」』贾母便向贾赦道：『你去罢。』贾赦答应着，退出来自去了。

这里贾母忽然想起，合贾政笑道：『娘娘心里却甚实惦记着宝玉，前儿还特特的问他来着呢。』（不管怎样，宝玉是圆心，诸事是围绕波心的涟漪。）贾政陪笑道：『只是宝玉不大肯念书，辜负了娘娘的美意。』贾母道：『我倒给他上了个好儿，说他近日文章都做上来了。』贾政笑道：『那里能像老太太的话呢。』贾母道：『你们时常叫他出去作诗作文，难道他都没作上来么？小孩子家，慢慢的教导他。可是人家说的：「胖子也不是一口儿吃的。」』贾政听了这话，忙陪笑道：『老太太说的是。』贾母又道：『提起宝玉，我还有一件事和你商量：如今他也大了，你们也该留神，看一个好孩子，给他定下。这也是他终身的大事。也别论远近亲戚，什么穷啊富的，只要深知那姑娘的脾性儿好模样儿周正的就好。』（这些事往实里写，都很不好写，前八十回写得愈好，后四十回愈难写。）贾政道：『老太太吩咐的狠是。但只一件，姑娘也要好，第一要他自己学好才好；不然，不稂不莠的，反倒耽误了人家的女孩儿，岂不可惜。』贾母听了这话，心里却有些不喜欢，便说道：『论起来，现放着你们作父母的，那里用我去张心。但只我想宝玉这孩子，从小儿跟着我，未免多疼他一点儿，耽误了他成人的正事，也是有的；只是我看他那生来的模样儿，也还端正，心性儿也还实在，未必一定是那种没出息的，必至遭塌了人家的女孩儿。也不知是我偏心，我看着横竖比环儿略好些。不知你们看着怎么样？』（怎么忽然提起贾环来？莫非贾政偏爱赵妾兼及贾环，使贾母不满，使王夫人变态。但这些又不好全写出来。如是高鹗续撰，也说明高对前八十回的人物关系有此等理解体察。）

几句话，说得贾政心中甚实不安，连忙陪笑道：『老太太看的人也多了，既说他好，有造化的，想来是不错的。

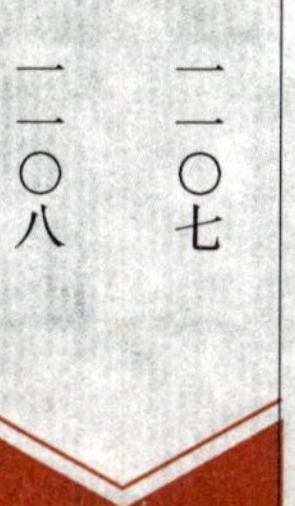

只是儿子望他成人性儿太急了一点，或者竟合古人的话相反，倒是「莫知其子之美」了。』一句话把贾母也怄笑了，众人也都陪着笑了。贾母因说道：『你这会子也有了几岁年纪，又居着官，自然越历练越老成。』说到这里，回头瞅着邢夫人合王夫人，笑道：『想他那年轻的时候，那一种古怪脾气，比宝玉还加一倍呢。直等娶了媳妇，才略略的懂了些人事儿。如今只抱怨宝玉。这会子，我看宝玉比他还略体些人情儿呢！』（都是过来人。此话之可悲处在于，哪怕一个贾宝玉，磨来磨去，积以时日，也会变成一个贾政。思之怃然，一凉透心。）说的邢夫人王夫人都笑了，因说道：『老太太又说起逗笑儿的话儿来了。』说着，小丫头子们进来告诉鸳鸯：『请示老太太，晚饭伺候下了。』贾母便问：『你们又咕咕唧唧的说什么？』鸳鸯笑着回明了。贾母道：『那么着，你们也都吃饭去罢，单留凤姐儿和珍哥媳妇跟着我吃罢。』贾政及邢王二夫人都答应着，伺候摆上饭来，贾母又催了一遍，才都退出各散。

却说邢夫人自去了。贾政同王夫人进入房中。贾政因提起贾母方才的话来，说道：『老太太这样疼宝玉。毕竟要他有些实学，日后可以混得功名才好；不枉老太太疼他一场，也不至遭塌了人家的女儿。』（贾政望子成龙心切，可解。动不动上纲到糟蹋人家女儿上去，不可解。糟蹋女儿云云，是宝玉的语言而不是贾政的语言。）王夫人道：『老爷这话自然是该当的。』贾政因着个屋里的丫头传出去告诉李贵：『宝玉放学回来，索性吃饭后再叫他过来，说我还要问他话呢。』李贵答应了『是』。至宝玉放了学，刚要过来请安，只见李贵道：『二爷先不用过去。老爷吩咐了，今日叫二爷吃了饭再过去呢。听见还有话问二爷呢。』宝玉听了这话，又是一个闷雷，只得见过贾母，便回园吃饭。三口两口吃完，忙漱了口，便往贾政这边来。

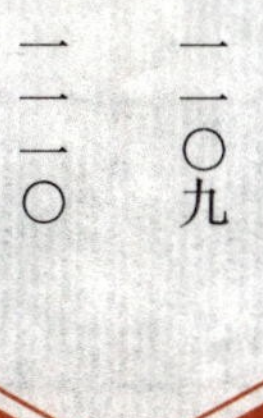

贾政此时在内书房坐着。宝玉进来请了安，一旁侍立。贾政问道：『这几日我心上有事，也忘了问你。那一日，你说你师父叫你讲一个月的书，就要给你开笔。如今算来，将两个月了，你到底开了笔了没有？』宝玉道：『才做过三次，师父说：「且不必回老爷知道；等好些，再回老爷知道罢。」因此，这两天总没敢回。』贾政道：『是什么题目？』宝玉道：『一个是「吾十有五而志于学」，一个是「人不知而不愠」，一个是「则归墨」三字。』贾政道：『都有稿儿么？』宝玉道：『都是作了抄出来，师父又改的。』贾政道：『你带了家来了，还是在学房里呢？』宝玉道：『在学房里呢。』贾政道：『叫人取了来我瞧。』宝玉连忙叫人传话与焙茗，叫他往学房中去，『我书桌子抽屉里有一本薄薄儿竹纸本子，上面写着「窗课」两字的就是，快拿来。』

一回儿，焙茗拿了来，递给宝玉，宝玉呈与贾政。贾政翻开看时，见头一篇写着题目是『吾十有五而志于学』。他原本破的是『圣人有志于学，幼而已然矣』。代儒却将『幼』字抹去，明用『十五』。贾政道：『你原本「幼」字便扣不清题目了。幼字是从小起，至十六已前都是「幼」。这章书是圣人自言学问工夫与年俱进的话，所以十五，三十，四十，五十，六十，七十，俱要明点出来，才见得到了几时有这么个光景，到了几时又有那么个光景。（与年俱进。）师父把你幼字改了十五，便明白了好些。』看到承题，那抹去的原本云：『夫不志于学，人之常也。』贾政摇头道：『不但是孩子气，可见你本性不是个学者的志气。』又看后句：『圣人十五而志之，不亦难乎？』（宝玉之语可爱。）说道：『这更不成话了。』然后看代儒的改本云：『夫人孰不学？而志于学者卒鲜。此圣人所为自信于十五时欤。』（代儒改得合适。）便问：『改的懂得么？』宝玉答应道：『懂得。』

又看第二艺，题目是『人不知而不愠』。（贾代儒讲一次还不算完，再由贾政详论八股文。）便先看代儒的改本云：『不以不知而愠者，终无改其说乐矣。』方觑着眼看那抹去的底本，说道：『你是什么？——「能无愠人之心，纯乎学者也。」上一句似单做了「而不愠」三个字的题目，下一句又犯了下文君子的分界，必如改笔，才合题位呢。且下句找清上文，方是书理。须要细心领略。』（枝枝节节的一些说法，可见贾政并无大用。）宝玉答应着。贾政又往下看：『夫不知，未有不愠者也；而竟不然。是非由说而乐者，曷克臻此？』原本末句『非纯学者乎』。贾政道：『这也与破题同病的。这改的也罢了，不过清楚，还说得去。』（听贾政讲作文，读者有败兴感。还不如听薛蟠的话，多少有点活气。）

第三艺是『则归墨』。（这一套「腐儒」的东西，写到小说里一是无趣，二是与宝玉性格不合。但是，第一，这一套玩意儿在中国行时了数千年，自有它的道理，第二，即使前八十回，宝玉也离不开他的具体环境，也不可能事事造反有理，让他来做做八股文，也算一景罢了。）贾政看了题目，自己扬着头想了一想，因问宝玉道：『你的书讲到这里了么？』宝玉道：『师父说，《孟子》好懂些，所以倒先讲《孟子》，大前日才讲完了。如今讲上《论语》呢。』贾政因看这个破承，倒没大改。破题云：『言于舍杨之外，若别无所归者焉。』贾政道：『第二句倒难为你。』『夫墨，非欲归者也，而墨之言已半天下矣，则舍杨之外，欲不归于墨，得乎？』贾政道：『这是你做的么？』宝玉答应道：『是。』贾政点点头儿，因说道：『这也并没有什么出色处，但初试笔能如此，还算不离。前年我在任上时，还出过「惟士为能」这个题目。那些童生都读过前人这篇，不能自出心裁，每多抄袭。你念过没有？』宝玉道：『也念过。』贾政道：『我要你另换个主意，不许雷同了前人，只做个破题也使得。』宝玉只得答应着，低头搜索枯肠。（这也是欲擒故纵，以退为进。要写元妃之死，先写她的病愈；要写宝玉之出家，先写他学做八股。）贾政背着手，也在门口站着作想。只见一个小厮往外飞走，看见贾政，连忙侧身垂手站住。贾政便问道：『作什么？』小厮回道：『老太太那边姨太太来了，二奶奶传出话来，叫预备饭呢。』贾政听了，也没言语，那小厮自去了。

谁知宝玉自从宝钗搬回家去，十分想念，听见薛姨妈来了，只当宝钗同来，心中早已忙了，便乍着胆子回道：『破题倒作了一个，但不知是不是？』贾政道：『你念来我听。』宝玉念道：『天下不皆士也，能无产者，亦仅矣。』贾政听了，点着头道：『也还使得。已后作文，总要把界限分清，把神理想明白了，再去动笔。你来的时候，老太太知道不知道？』宝玉道：『知道的。』贾政道：『既如此，你还到老太太处去罢。』

宝玉答应了个『是』，只得拿捏着，慢慢的退出。刚过穿廊月洞门的影屏，便一溜烟跑到老太太院门口。（天真烂漫、淘气小儿之状。）急得焙茗在后头赶着叫道：『看跌倒了！老爷来了。』宝玉那里听得见？刚进得门来，便听见王夫人、凤姐、探春等笑语之声。丫鬟们见宝玉来了，连忙打起帘子，悄悄告诉道：『姨太太在这里呢。』宝玉赶忙进来给薛姨妈请安，过来才给贾母请了晚安。贾母便问：『你今儿怎么这早晚才散学？』宝玉悉把贾政看文章并命作破题的话述了一遍。贾母笑容满面。宝玉因问众人道：『宝姐姐在那里坐着呢？』薛姨妈笑道：『你宝姐姐没过来，家里和香菱作活呢。』（宝钗是不是已经有了点预感呢？有意保持尊重。）

宝玉听了，心中索然，又不好就走。只见说着话儿已摆上饭来。自然是贾母薛姨妈上坐，探春等陪坐。薛姨妈道：『宝哥儿呢？』贾母忙笑说道：『宝玉跟着我这边坐罢。』宝玉连忙回道：『头里散学时，李贵传老爷的话，叫吃了饭过去，我赶着要了一碟菜，泡茶吃了一碗饭，就过去了。老太太和姨妈、姐姐们用罢。』贾母道：『既这么着，凤丫头就过来跟着我。（宝玉凤姐，凤姐宝玉，贾母有这么两个「眼珠子」。）你太太才说他今儿吃斋，叫他们自己吃去罢。』王夫人也道：『你跟着老太太姨太太吃罢，不用等我，我吃斋呢。』于是凤姐告了坐，丫头安了杯箸。凤姐执壶，斟了一巡，才归坐。

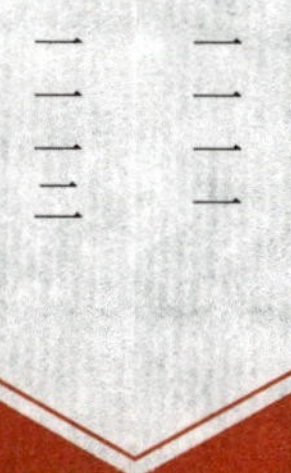

大家吃着酒，贾母便问道：『可是才姨太太提香菱；我听见前儿丫头们说「秋菱」，不知是谁，问起来才知道是他。怎么那孩子好好的又改了名字呢？』薛姨妈满脸飞红，叹了口气，道：『老太太再别提起。自从蟠儿娶了这个不知好歹的媳妇，成日家咕咕唧唧，如今闹的也不成个人家了。我也说过他几次，他牛心不听说，我也没那么大精神和他们尽着吵去，只好由他们去。可不是他嫌这丫头的名儿不好改的。』贾母道：『名儿什么要紧的事呢。』薛姨妈道：『说起来，我也怪臊的。其实老太太这边，有什么不知道的。他那里是为这名儿不好？听见说，他因为是宝丫头起的，他才有心要改。』（因人生事。）贾母道：『这又是什么原故呢？』薛姨妈把手绢子不住的擦眼泪，未从说，又叹了一口气，道：『老太太还不知道呢！这如今媳妇子专和宝丫头怄气。前日老太太打发人看我去，我们家里正闹呢。』贾母连忙接着问道：『可是前儿听见姨太太肝气疼，要打发人看去；后来听见说好了，所以没着人去。依我劝，姨太太竟把他们别放在心上。再者，他们也是新过门的小夫妻，过些时，自然就好了。（什么事都是说好几遍，拖沓了。）我看宝丫头性格儿温厚和平，虽然年轻，比大人还强几倍。前日那小丫头子回来说，我们这边，还都赞叹了他一会子。都像宝丫头那样心胸儿，脾气儿，真是百里挑一的！

不是我说句冒失话，那给人家作了媳妇儿，怎么叫公婆不疼，家里上上下下的不宾服呢？」（贾母的倾向性愈益明显。）宝玉头里已经听烦了，推故要走，及听见这话，又坐了呆呆的往下听。薛姨妈道：「不中用。他虽好，到底是女孩儿家。养了蟠儿这个糊涂孩子，真真叫我不放心。只怕在外头喝点子酒，闹出事来。幸亏老太太这里的大爷二爷常和他在一块儿，我还放点儿心。」宝玉听到这里，便接口道：「姨妈更不用悬心。薛大哥相好的都是些正经买卖大客人，都是有体面的，那里就闹出事来？」（这话说得世故。）薛姨妈笑道：「依你这样说，我敢只不用操心了。」说话间，饭已吃完。宝玉先告辞了：「晚间还要看书。」便各自去了。

这里丫头们刚捧上茶来，只见琥珀走过来向贾母耳朵旁边说了几句，贾母便向凤姐儿道：「你快去罢，瞧瞧巧姐儿去罢。」凤姐听了，还不知何故。大家也怔了。琥珀遂过来向凤姐道：「刚才平儿打发小丫头子来回二奶奶，说：『巧姐儿身上不大好，请二奶奶忙着些过来才好呢。』」（病灾正在蔓延。）贾母因说道：「你快去罢，姨太太也不是外人。」凤姐连忙答应，在薛姨妈跟前告了辞。又见王夫人说道：「你先过去，我就去。小孩子家魂儿还不全呢，别叫丫头们大惊小怪的。屋里的猫儿狗儿，也叫他们留点神儿。尽着孩子贵气，偏有这些琐碎。」凤姐答应了，然后带了小丫头回房去了。（一病接一病。一病未平，一病又起。你病我病他病她病，孰能无病？）

这里薛姨妈又问了一回黛玉的病。贾母道：「林丫头那孩子倒罢了，只是心重些，所以身子就不大狠结实了。要赌灵性儿，也和宝丫头不差什么；要赌宽厚待人里头，却不济他宝姐姐有耽待、有尽让了。」（引入择偶正题以前，先进行德才考量。）薛姨妈又说了两句闲话儿，便道：「老太太歇着罢，我也要到家里去看看，只剩下宝丫头和香菱

了。打那么同着姨太太看看巧姐儿。」贾母道：「正是。姨太太上年纪的人，看看是怎么不好，说给他们，也得点主意儿。」薛姨妈便告辞，同着王夫人出来，往凤姐院里去了。

却说贾政试了宝玉一番，心里却也喜欢，走向外面和那些门客闲谈，说起方才的话来。便有新近到来最善大棋的一个王尔调，名作梅的，说道：「据我们看来，宝二爷的学问已是大进了。」贾政道：「那有进益，不过略懂得些罢咧，『学问』两个字，早得狠呢。」詹光道：「这是老世翁过谦的话。不但王大兄这般说，就是我们看，宝二爷必定要高发的。」贾政笑道：「这也是诸位过爱的意思。」那王尔调又道：「晚生还有一句话，不揣冒昧，合老世翁商议。」贾政道：「什么事？」王尔调陪笑道：「也是晚生的相与，做过南韶道的张大老爷家，有一位小姐，说是生得德容功貌俱全，此时尚未受聘。他又没有儿子，家资巨万，但是要富贵双全的人家，女婿又要出众，才肯作亲。晚生来了两个月，瞧着宝二爷的人品学业，都是必要大成的。老世翁这样门楣，还有何说！若晚生过去，包管一说就成。」（切入核心腹地以前，先打外围战。扎中要害以前，先虚晃几枪。本来一钗一黛就够麻烦的了，偏偏张道士提过一个，贾母考虑过宝琴也是一个，这里又出来一个。）贾政道：「宝玉说亲，却也是年纪了，并且老太太常说起。但只张大老爷素来尚未深悉。」詹光道：「王兄所提张家，晚生却也知道，况合大老爷那边是旧亲，老世翁一问便知。」贾政想了一回，道：「大老爷那边，不曾听得这门亲戚。」詹光道：「老世翁原来不知：这张府上原和邢舅太爷那边有亲的。」贾政听了，方知是邢夫人的亲戚。坐了一回，进来了，便要向王夫人说知，转问邢夫人去。谁知王夫人陪了薛姨妈到凤姐那边看巧姐儿去了。那天已经掌灯时候，薛姨妈去了，王夫人才过来了。贾政告诉了王尔调

和詹光的话，又问：『巧姐儿怎么了？』王夫人道：『怕是惊风的光景。』贾政道：『不甚利害呀？』王夫人道：『看着是搐风的来头，只还没搐出来呢。』贾政听了，便不言语，各自安歇一宿晚景不提。

却说次日邢夫人过贾母这边来请安，王夫人便提起张家的事，一面回贾母，一面问邢夫人。邢夫人道：『张家虽系老亲，但近年来久已不通音信，不知他家的姑娘是怎么样的。倒是前日孙亲家太太打发老婆子来问安，却说起张家的事，说他家有个姑娘，托孙亲家那边有对劲的提一提。听见说，只这一个女孩儿，十分娇养，也识得几个字，见不得大阵仗儿，常在房中不出来的。张大老爷又说：只有这一个女孩儿，不肯嫁出去，怕人家公婆严，姑娘受不得委屈。必要女婿过门，赘在他家，给他料理些家事。』（似是又一个潜在的夏金桂。）贾母听到这里，不等说完，便道：『这个使不得。我们宝玉，别人伏侍他还不彀呢，倒给人家当家去！』邢夫人道：『正是老太太这个话。』贾母因向王夫人道：『你回来告诉你老爷，就说我的话，这张家的亲事是作不得的。』王夫人答应了。贾母便问：『你们昨日看巧姐儿怎么样？头里平儿来回我，说很不大好，我也要过去看看呢。』邢王二夫人道：『老太太虽疼他，他那里耽的住？』贾母道：『却也不止为他，我也要走动走动，活活筋骨儿。』说着，便吩咐：『你们吃饭去罢，回来同我过去。』

邢王二夫人答应着出来，各自去了。一时，吃了饭，都来陪贾母到凤姐房中。凤姐连忙出来，接了进去。贾母便问：『巧姐儿到底怎么样？』凤姐儿道：『只怕是搐风的来头。』贾母道：『这么着还不请人赶着瞧？』凤姐道：『已经请去了。』贾母因同邢王二夫人进房来看。只见奶子抱着，用桃红绫子小绵被儿裹着，脸皮趣青，眉梢鼻翅

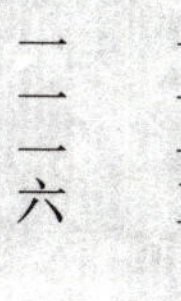

微有动意。（小儿病状。）贾母同邢王二夫人看了看，便出外间坐下。

正说间，只见一个小丫头回凤姐道：『老爷打发人问姐儿怎么样。』凤姐道：『替我回老爷，就说请大夫去了。一会儿开了方子，就过去回老爷。』贾母忽然想起张家的事来，向王夫人道：『你该就去告诉你老爷，省得人家去说了，回来又驳回。』又问邢夫人道：『你们和张家如今为什么不走了？』邢夫人因又说：『论起那张家行事，也难合咱们作亲，太啬克，没的玷辱了宝玉。』凤姐听了这话，已知八九，便问道：『太太不是说宝兄弟的亲事？』邢夫人道：『可不是么！』贾母接着，因把刚才的话，告诉凤姐。凤姐笑道：『不是我当着老祖宗太太们跟前说句大胆的话：现放着天配的姻缘，何用别处去找？』贾母笑问道：『在那里？』凤姐道：『一个「宝玉」，一个「金锁」，老太太怎么忘了？』（老太太有暗示在先，二奶奶有明提在后。为了提出宝钗来，先拉一个张家小姐垫背。）贾母笑了一笑，因说：『昨日你姑妈在这里，你为什么不提？』凤姐道：『老祖宗和太太们在前头，那里有我们小孩子家说话的地方儿？况且姨妈过来瞧老祖宗，怎么提这些个？这也得太太们过去求亲才是。』贾母笑了，邢王二夫人也都笑了。贾母因道：『可是我背晦了。』

说着，人回：『大夫来了。』贾母便坐在外间，邢王二夫人略避。那大夫同贾琏进来，给贾母请了安，方进房中。看了出来，站在地下，躬身回贾母道：『妞儿一半是内热，一半是惊风。须先用一剂发散风痰药，还要用四神散才好，因病势来得不轻。如今的牛黄都是假的，要找真牛黄方用得。』（伪劣药品，『红』已有之。）贾母道了乏。那大夫同贾琏出去，开了方子，去了。凤姐道：『人参家里常有，这牛黄倒怕未必有，外头买去，只是要真的才好。』（人参亦

不合格。牛黄更是没戏。）王夫人道：『等我打发人到姨太太那边去找找。他家蟠儿是向与那些西客们做买卖，或者有真的，也未可知。我叫人去问问。』正说话间，众姊妹都来瞧来了。坐了一回，也都跟着贾母等去了。（这些细节也都以前八十回为据。）

这里煎了药，给巧姐儿灌了下去，只见『喀』的一声，连药带痰都吐出来，凤姐才略放了一点儿心。只见王夫人那边的小丫头，拿着一点儿的小红纸包儿，说道：『二奶奶，牛黄有了。太太说了，叫二奶奶亲自把分两对准了呢。』凤姐答应着，接过来，便叫平儿配齐了真珠、冰片、朱砂，快熬起来。自己用戥子按方秤了，搀在里面，等巧姐儿醒了，好给他吃。只见贾环掀帘进来，说：『二姐姐，你们巧姐儿怎么了？妈叫我来瞧瞧他。』凤姐见了他母子便嫌，说：『好些了。你回去说，叫你们姨娘想着。』那贾环口里答应，只管各处瞧看。看了一回，便问凤姐儿道：『你这里听的说有牛黄，不知牛黄是怎么个样儿？给我瞧瞧呢。』凤姐道：『你别在这里闹了，妞儿才好些。那牛黄都煎上了。』贾环听了，便去伸手拿那锅子瞧时，岂知措手不及，『沸』的一声，铞子倒了，火已泼灭了一半。贾环见不是事，自觉没趣，连忙跑了。凤姐急的火星直爆，骂道：『真真那一世的对头冤家！你何苦来还来使促狭！从前你妈要想害我，如今又来害妞儿，我和你几辈子的仇呢！』一面骂平儿不照应。

正骂着，只见丫头来找贾环。凤姐道：『你去告诉赵姨娘，说他操心也太苦了！巧姐儿死定了，不用他惦着了。』平儿急忙在那里配药再熬。那丫头摸不着头脑，便悄悄问平儿道：『二奶奶为什么生气？』平儿将环哥弄倒药铞子说了一遍。（贾环可怜，一出现就讨嫌，一出现就坏事，成了瘟神瘟鬼。）丫头道：『怪不得他不敢回来，躲了别处去了。

这环哥儿明日还不知怎么样呢！平姐姐，我替你收拾罢。』平儿说：『这倒不消。幸亏牛黄还有一点，如今配好了，你去罢。』丫头道：『我一准回去告诉赵姨奶奶，也省得他天天说嘴。』（暗示环哥儿日后还要害巧姐。）

丫头回去，果然告诉了赵姨娘。赵姨娘气的叫快找环儿。环儿在外间屋子里躲着，被丫头找了来。赵姨娘便骂道：『你这个下作种子！你为什么弄洒了人家的药，招的人家咒骂。我原叫你去问一声，不用进去。你偏进去，又不就走，还要「虎头上捉虱子」。你看我回了老爷，打你不打！』这里赵姨娘正说着，只听贾环在外间屋子里，更说出些惊心动魄的话来。未知何言，下回分解。

元妃的疾病，宝玉的婚姻，巧姐的命运及凤姐与赵姨娘、贾环的矛盾，都在徐徐发展演进。中间插以贾政论八股，疏散筋骨。宝玉学做八股，贾政亲自教授，这是冷锅里冒热气，正话反说，出其不意，而探望元妃之病，跑到巧姐病体近旁闯祸，则更像与前八十回呼应，是前文的缩微拷贝。

第八十五回　贾存周报升郎中任　薛文起复惹放流刑

话说赵姨娘正在屋里抱怨贾环，只听贾环在外间屋里发话道：『我不过弄倒了药铞子，洒了一点子药，那丫头子又没就死了，值的他也骂我，你也骂我，赖我心坏，把我往死里遭塌。等着我明儿还要那小丫头子的命呢！看你们怎么着！只叫他们堤防着就是了。』（逼急了，贾环只有更黑更坏一条路了，这也是物极必反。）那赵姨娘赶忙从里间出来，握住他的嘴，说道：『你还只管信口胡唚，还叫人家先要了我的命呢！』娘儿两个吵了一回。赵姨娘听见凤姐的话，越想越气，也不着人来安慰凤姐一声儿。过了几天，巧姐儿也好了。因此，两边结怨比从前更加一层了。（也是预告下文。应说是处理得相当自然。赵姨娘、贾环永远低人一等。愈尴尬就愈是低人一等。愈是低人一等行事出言就愈尴尬。她们不无可同情处。后四十回有诸多重复处，倒是写贾环的性格发展，确实『惊心动魄』。）

一日，林之孝进来回道：『今日是北静郡王生日，请老爷的示下。』贾政吩咐道：『只按向年旧例办了，回大老爷知道，送去就是了。』林之孝答应了，自去办理。

不一时，贾赦过来同贾政商议带了贾珍、贾琏、宝玉去与北静王拜寿。别人还不理论，惟有宝玉素日仰慕北静王的容貌威仪，巴不得常见才好，遂连忙换了衣服，跟着来到北府。（又是重复前文。真难为了后四十回续作。）贾赦贾政递了职名候谕。不多时，里面出来了一个太监，手里掐着数珠儿。见了贾赦贾政，笑嘻嘻的说道：『二位老爷好？』贾赦贾政也都赶忙问好，他兄弟三人也过来问了好。那太监道：『王爷叫请进去呢。』于是爷儿五个跟着那太监进入府中。过了两层门，转过一层殿去，里面方是内宫门。刚到门前，大家站住，那太监先进去回王爷去了。这里门上小太监都迎着问了好。一时，那太监出来说了个『请』字，爷儿五个肃敬跟入。只见北静郡王穿着礼服，已迎到殿门廊下。贾赦贾政先上来请安，捱次便是珍、琏、宝玉请安。那北静郡王单看宝玉道：『我久不见你，狠惦记你。』因又笑问道：『你那块玉儿好？』宝玉躬着身打着一半千儿回道：『蒙王爷福庇，都好。』北静王道：『今日你来，没有什么好东西给你吃的，倒是大家说说话儿罢。』说着，几个老公打起帘子。北静王说：『请。』自己却先进去，然后贾赦等都躬着身跟进去。先是贾赦请北静王受礼，北静王也说了两句谦辞。那贾赦

早已跪下，次及贾政等捱次行礼，自不必说。（亦感平淡，了无新意。重复第十四回。）

那贾赦等复肃敬退出，北静王吩咐太监等让在众戚旧一处，好生款待，却单留宝玉在这里说话儿，又赏了坐。宝玉又磕头谢了恩，在挨门边绣墩上侧坐，说了一回读书作文诸事。北静王甚加爱惜，又赏了茶。因说道：『昨儿巡抚吴大人来陛见，说起令尊翁前任学政时，秉公办事，凡属生童，俱心服之至。他陛见时，万岁爷也曾问过，他也十分保举，可知是令尊翁的喜兆。』宝玉连忙站起，听毕这一段话，才回启道：『此是王爷的恩典，吴大人的盛情。』（有第十四回之表，无其实。写了过程，却没有生气，没有灵魂。）

正说着，小太监进来回道：『外面诸位大人老爷都在前殿谢王爷赏宴。』说着，呈上谢宴并请午安的帖子来。北静王略看了一看，仍递给小太监，笑了一笑，说道：『知道了，劳动他们。』那小太监又回道：『这贾宝玉，王爷单赏的饭预备了。』北静王便命那太监带了宝玉到一所极小巧精致的院里，派人陪着吃了饭，又过来谢了恩。北静王又说了些好话儿，忽然笑说道：『我前次见你那块玉，倒有趣儿，回来说了个式样，叫他们也作了一块来。今日你来得正好，就给你带回去顽罢。』（玉上加玉，仍然是玉。续了再续再再续，仍然是『红』。）因命小太监取来，亲手递给宝玉。宝玉接过来捧着，又谢了，然后退出。北静王又命两个小太监跟出来，才同着贾赦等回来了。（此节写赦、政、宝玉为北静王拜寿，毫无生气，直如走过场一般。好在前八十回头绪事件极多，好事拉过来再描一描便又是一段——跳也跳不出前八十回的圈子了。）

贾赦便各自回院里去。这里贾政带着他三人回来见过贾母，请过了安，说了一回府里遇见的人。宝玉又回了

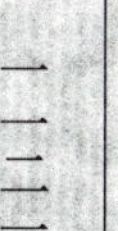

贾政，吴大人陛见保举的话。贾政道：『这吴大人，本来咱们相好，也是我辈中人，还倒是有骨气的。』又说了几句闲话儿，贾母便叫：『歇着去罢。』贾政退出，珍、琏、宝玉都跟到门口。贾政道：『你们都回去陪老太太坐着去罢。』说着便回房去。刚坐了一坐，只见一个小丫头回道：『外面林之孝请老爷回话。』说着递上个红单帖来，写着吴巡抚的名字。贾政知是来拜，便叫小丫头叫林之孝进来。贾政出至廊檐下。林之孝进来回道：『今日巡抚吴大人来拜，奴才回了去了。再奴才还听见说，现今工部出了一个郎中缺，外头人和部里都吵嚷是老爷拟正呢。』贾政道：『瞧罢咧。』（『瞧罢咧』，这话还好。贾政虽不中用，尚未跑官要官，蝇营狗苟。）林之孝又回了几句话，才出去了。

且说珍、琏、宝玉三人回去，独有宝玉到贾母那边，一面述说北静王待他的光景，并拿出那块玉来。大家看着，笑了一回，贾母因命人：『给他收起去罢，别丢了。』因问：『你那块玉好生带着罢，别闹混了。』（也是失玉的预兆。）宝玉在项上摘了下来，说：『这不是我那一块玉？那里就掉了呢！比起来，两块玉差远着呢，那里混得过？我正要告诉老太太：前儿晚上，我睡的时候，把玉摘下来挂在帐子里，他竟放起光来了，满帐子都是红的。』贾母说道：『又胡说了。帐子的檐子是红的，火光照着，自然红是有的。』宝玉道：『不是。那时候灯已灭了，屋里都漆黑的了，还看得见他呢。』（又开始闹神鬼了。玉上的文章还要做到何时何处？）邢王二夫人抿着嘴笑。凤姐道：『这是喜信发动了。』宝玉道：『什么喜信？』贾母道：『你不懂得。今儿个闹了一天，你去歇歇儿去罢，别在这里说呆话了。』宝玉又站了一会儿，才回园中去了。

这里贾母问道：『正是，你们去看薛姨妈说起这事没有？』王夫人道：『本来就要去看的，因凤丫头为巧姐儿病着，耽搁了两天，今日才去的。这事我们都告诉了，姨妈倒也十分愿意，只说蟠儿这时候不在家，目今他父亲没了，只得和他商量商量再办。』（逐步进行，注意程序。）贾母道：『这也是情理的话。既这么样，大家先别提起，等姨太太那边商量定了再说。』（全书节奏已经确定，情节进展不能操之过急，宁失于啰嗦，不可失于简略直行。）

不说贾母处谈论亲事。且说宝玉回到自己房中，告诉袭人道：『老太太与凤姐姐方才说话，含含糊糊，不知是什么意思？』袭人想了想，笑了一笑，道：『这个，我也猜不着。但只刚才说这些话时，林姑娘在跟前没有？』宝玉道：『林姑娘才病起来，这些时何曾到老太太那边去呢？』正说着，只听外间屋里麝月与秋纹拌嘴。袭人道：『你两个又闹什么？』麝月道：『我们两个斗牌，他赢了我的钱，他拿了去，他输了钱，就不肯拿出来。这也罢了，他倒把我的钱都抢了去了。』宝玉笑道：『几个钱，什么要紧？傻丫头，不许闹了！』（似是废话。）说的两个人都咕嘟着嘴，坐着去了。这里袭人打发宝玉睡下，不提。

却说袭人听了宝玉方才的话，也明知是给宝玉提亲的事，因恐宝玉每有痴想，这一提起，不知又招出他多少呆话来，所以故作不知。自己心上，却也是头一件关切的事。夜间躺着，想了个主意：不如去见见紫鹃，看他有什么动静，自然就知道了。次日，一早起来，打发宝玉上了学，自己梳洗了，便慢慢的去到潇湘馆来。只见紫鹃正在那里掐花儿呢，见袭人进来，便笑嘻嘻的道：『姐姐屋里坐着。』袭人道：『坐着，妹妹，掐花儿呢吗？姑娘呢？』紫鹃道：『姑娘才梳洗完了，等着温药呢。』紫鹃一面说着，一面同袭人进来。见了黛玉正在那里拿着一本书看，袭人陪着笑道：『姑娘怨不得劳神，起来就看书。我们宝二爷念书，若能像姑娘这样，岂不好了呢。』黛玉笑着把书放下。雪雁已拿着个小茶盘里托着一钟药，一钟水，小丫头在后面捧着痰盒漱盂进来。（进入后四十回，袭人屡去潇湘馆，细想起来实在惨兮兮的。）

原来袭人来时，要探探口气，坐了一回，无处入话。又想着黛玉最是心多，探不成消息，再惹着了他，倒是不好。又坐了坐，搭赸着辞了出来了。（不来时要来，来了要走，这就是人，这就是人生，正如「围城」出进之喻。）将到怡红院门口，只见两个人在那里站着呢，袭人不便往前走。那一个早看见了，连忙跑过来。袭人一看，却是锄药，因问：『你作什么？』锄药道：『刚才芸二爷来了，拿了个帖儿，说给咱们宝二爷瞧的，在这里候信。』袭人道：『宝二爷天天上学，你难道不知道？还候什么信呢？』锄药笑道：『我告诉他了，他叫告诉姑娘，听姑娘的信呢。』袭人正要说话，只见那一个也慢慢的蹭了过来。细看时，就是贾芸，溜溜湫湫往这边来了。袭人见是贾芸，连忙向锄药道：『你告诉说，知道了，回来给宝二爷瞧罢。』那贾芸原要过来和袭人说话，无非亲近之意，又不敢造次，只得慢慢踱来。相离不远，不想袭人说出这话，自己也不好再往前走，只好站住。这里袭人已掉背脸往回里去了。贾芸只得快快而回，同锄药出去了。（也算沉渣开始泛起。）

晚间，宝玉回房，袭人便回道：『今日廊下小芸二爷来了。』宝玉道：『作什么？』袭人道：『他还有个帖儿呢。』宝玉道：『在那里？拿来我看看。』麝月便走去，在里间屋里书槅子上头拿了来。宝玉接过看时，上面皮儿上写着：『叔父大人安禀』。宝玉道：『这孩子怎么又不认我作父亲了？』袭人道：『怎么？』宝玉道：『前年他送

我白海棠时，称我作父亲大人，今日这帖子封皮上写着叔父，可不是又不认了么。』（又爹又叔，有点幽默。）袭人道：『他也不害臊，你也不害臊。他那么大了，倒认你这么大儿的作父亲，可不是他不害臊？你正经连个……』刚说到这里，脸一红，微微的一笑。宝玉也觉得了，便道：『这倒难讲，俗语说：「和尚无儿孝子多着呢。」（这俗语用得巧。亦有预告性。）只是我看着他还伶俐得人心儿，才这么着，他不愿意，我还不希罕呢。』说着一面拆那帖儿。袭人也笑道：『那小芸二爷也有些鬼鬼头头的。什么时候又要看人，什么时候又躲躲藏藏的，可知也是个心术不正的货。』宝玉只顾拆开看那字儿，也不理会袭人这些话。袭人见他看那帖儿，皱一回眉，又笑一笑儿，又摇摇头儿，后来光景竟大不耐烦起来。袭人等他看完了，问道：『是什么事情？』宝玉也不答言，把那帖子已经撕作几断。袭人见这般光景，也不便再问，便问宝玉：『吃了饭还看书不看？』宝玉道：『可笑芸儿这孩子，竟这样的混账！』袭人见他所答非所问，便微微的笑着问道：『到底是什么事？』宝玉道：『问他作什么，咱们吃饭罢。吃了饭歇着罢，心里闹的怪烦的。』说着，叫小丫头子点了一点火儿来，把那撕的帖儿烧了。

一时，小丫头们摆上饭来，宝玉只是怔怔的坐着。（人生何事不怔怔？何事不烦恼？何事不掉泪？何事不闷葫芦？）袭人连哄带怄，催着，吃了一口儿饭，便搁下了，仍是闷闷的歪在床上。一时间，忽然吊下泪来。此时袭人麝月都摸不着头脑。麝月道：『好好儿的，这又是为什么？都是什么「芸儿」「雨儿」的，不知什么事，弄了这么个浪帖子来，惹的这么傻了的是的，哭一会子，笑一会子。要天长日久，闹起这闷葫芦来，可叫人怎么受呢！』说着，竟伤起心来。袭人旁边由不得要笑，便劝道：『好妹妹，你也别怄人了。他一个人就彀受了，你又这么着。他那

帖子上的事，难道与你相干？』麝月道：『你混说起来了。知道他帖儿上写的是什么混账话，你混往人身上扯。要那么说，他帖儿上只怕倒与你相干呢！』（干脆奉还，是神来之笔。）袭人还未答言，只听宝玉在床上『扑哧』的一声笑了，爬起来，抖了抖衣裳，说：『咱们睡觉罢，别闹了。明日我还起早念书呢。』说着便躺下睡了。一宿无话。

次日，宝玉起来，梳洗了，便往家塾里去。走出院门，忽然想起，叫焙茗略等，急忙转身回来叫：『麝月姐姐呢？』麝月答应着出来问道：『怎么又回来了？』宝玉道：『今日芸儿要来了，告诉他别在这里闹，再闹，我就回老太太和老爷去了。』麝月答应了。宝玉才转身去了。刚往外走着，只见贾芸慌慌张张往里来。看见宝玉，连忙请安，说：『叔叔大喜了！』（贾芸之流对这一类升降之事最上心。）那宝玉估量着是昨日那件事，便说道：『你也太冒失了，不管人心里有事没事，只管来搅。』贾芸陪笑道：『叔叔不信，只管瞧去。人都来了，在咱们大门口呢。』宝玉越发急了，说：『这是那里的话！』

正说着，只听外边一片声嚷起来。贾芸道：『叔叔听，这不是？』宝玉越发心里狐疑起来。只听一个人嚷道：『你们这些人好没规矩，这是什么地方，你们在这里混嚷！』那人答道：『谁叫老爷升了官呢，怎么不叫我们来吵喜呢？别人家盼着吵还不能呢。』宝玉听了，才知道是贾政升了郎中了，人来报喜的，心中自是甚喜。（将退再进，将降再升，将败再胜，命运就是这样地与人开玩笑吗？）连忙要走时，贾芸赶着说道：『叔叔乐不乐？叔叔的亲事要再成了，不用说，是两层喜了。』宝玉红了脸，啐了一口，道：『呸！没趣儿的东西！还不快走呢。』贾芸把脸红了，道：

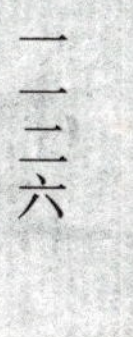

『这有什么的？我看你老人家就不……』宝玉沉着脸道：『就不什么？』贾芸未及说完，也不敢言语了。

宝玉连忙来到家塾中，只见代儒笑着说道：『我才刚听见你老爷升了，你今日还来了么？』宝玉陪笑道：『过来见了太爷，好到老爷那边去。』代儒道：『今日不必来了，放你一天假罢。可不许回园子里顽去。你年纪不小了，虽不能办事，也当跟着你大哥他们学学才是。』宝玉答应着回来。刚走到二门口，只见李贵走来迎着，旁边站住，笑道：『二爷来了么？奴才才要到学里请去。』宝玉笑道：『谁说的？』李贵道：『老太太才打发人到院里去找二爷。那边的姑娘们说：二爷学里去了。刚才老太太打发人出来，叫奴才去给二爷告几天假。听说还要唱戏贺喜呢。二爷就来了。』（都是过场戏。）

说着，宝玉自己进去。进了二门，只见满院里丫头老婆都是笑容满面，见他来了，笑道：『二爷这早晚才来，还不快进去给老太太道喜去呢。』宝玉笑着进了房门，只见黛玉挨着贾母左边坐着呢，右边是湘云。地下邢王二夫人，探春、惜春、李纨、凤姐、李纹、李绮、邢岫烟一干姐妹，都在屋里，只不见宝钗、宝琴、迎春三人。宝玉此时喜的无话可说，忙给贾母道了喜，又给邢王二夫人道喜，一一见了众姐妹，便向黛玉笑道：『妹妹身体可大好了？』黛玉也微笑道：『大好了。听见说二哥哥身上也欠安，好了么？』宝玉道：『可不是，我那日夜里，忽然心里疼起来，这几天刚好些，就上学去了，也没能过去看妹妹。』黛玉不等他说完，早扭过头和探春说话去了。凤姐在地下站着，笑道：『你两个那里像天天在一处的，倒像是客一般，有这些套话，可是人说的「相敬如宾」了。』说的大家一笑。林黛玉满脸飞红，又不好说，又不好不说，迟了一会儿，才说道：『你懂得什么！』众人越发笑了。凤姐一时回过味来，才知道自己出言冒失，正要拿话岔时，只见宝玉忽然向黛玉道：『林妹妹，你瞧芸儿这种冒失鬼。』说了这一句，方想起来，便不言语了。招的大家又都笑起来，说：『这从那里说起？』黛玉也摸不着头脑，也跟着讪讪的笑。宝玉无可搭趟，因又说道：『可是刚才我听见有人要送戏，说是几儿？』大家都瞅着他笑。凤姐儿道：『你在外头听见，你来告诉我们，你这会子问谁呢？』宝玉得便说道：『我外头再去问问去。』贾母道：『别跑到外头去。头一件，看报喜的笑话；第二件，你老子今日大喜，回来碰见你，又该生气了。』宝玉答应了个『是』，才出来了。（进入『决赛』了，各有关方面都敏感起来。这一节写得不错。）

这里贾母因问凤姐：『谁说送戏的话？』凤姐道：『说是舅太爷那边说：后儿日子好，送一班新出的小戏儿给老太太、老爷、太太贺喜。』因又笑着说道：『不但日子好，还是好日子呢。』说着这话，却瞅着黛玉笑。（凤姐笑什么？她不是已经了解并开始贯彻贾母的意图了么？莫非是幸灾乐祸的笑？人心难测。）黛玉也微笑。王夫人因道：『可是呢，后日还是外甥女儿的好日子呢。』贾母想了一想，也笑道：『可见我如今老了，什么事都糊涂了。亏了有我这凤丫头，是我个「给事中」。既这么着，很好。他舅舅家给他们贺喜，你舅舅家就给你做生日，岂不好呢。』说的大家都笑起来，说道：『老祖宗说句话儿，都是上篇上论的，怎么怨得有这么大福气呢。』说着，宝玉进来，听见这些话，越发乐的手舞足蹈了。一时大家都在贾母这边吃饭，甚热闹，自不必说。饭后，那贾政谢恩回来，给宗祠里磕了头，便来给贾母磕头。站着说了几句话，便出去拜客去了。这里接连着亲戚族中的人，来来去去，闹闹攘攘，车马填门，貂蝉满坐。（福固有双至，祸更非单行。将欲取之，必先予之。）真个是：

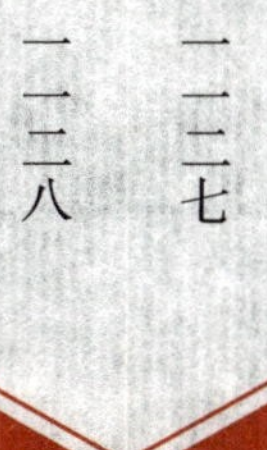

花到正开蜂蝶闹，月逢十足海天宽。

如此两日，已是庆贺之期。这日一早，王子腾和亲戚家已送过一班戏来，就在贾母正厅前，搭起行台。外头爷们都穿着公服陪侍。亲戚来贺的约有十余桌酒。里面为着是新戏，又见贾母高兴，便将琉璃戏屏隔在后厦，里面也摆下酒席。上首薛姨妈一桌，是王夫人宝琴陪着；对面老太太一桌，是邢夫人岫烟陪着。下面尚空两桌，贾母叫他们快来。

一回儿，只见凤姐领着众丫头，都簇拥着黛玉来了。黛玉略换了几件新鲜衣服，打扮得宛如嫦娥下界，含羞带笑的，出来见了众人。湘云、李纹、李绮都让他上首坐，黛玉只是不肯。贾母笑道：『今日你坐了罢。』薛姨妈站起来问道：『今日林姑娘也有喜事么？』贾母笑道：『是他的生日。』薛姨妈道：『咳，我倒忘了。』走过来说道：『恕我健忘，回来叫宝琴过来拜姐姐的寿。』黛玉笑说：『不敢。』大家坐了。那黛玉留神一看，独不见宝钗，便问道：『宝姐姐可好么？为什么不过来？』（宝钗在吊胃口。连读者也开始想念宝钗了。）薛姨妈道：『他原该来的，只因无人看家，所以不来。』黛玉红着脸，微笑道：『姨妈那里又添了大嫂子，怎么倒用宝姐姐看起家来？大约是他怕人多热闹，懒待来罢。我倒怪想他的。』薛姨妈笑道：『难得你惦记他。他也常想你们姐妹们，过一天，我叫他来大家叙叙。』

说着，丫头们下来斟酒上菜，外面已开戏了。出场自然是一两出吉庆戏文。及至第三出，只见金童玉女，旗幡宝幢，引着一个霓裳羽衣的小旦，头上披着一条黑帕，唱了一回儿进去了。众皆不识。听见外面人说：『这是

新打的《蕊珠记》里的「冥升」。小旦扮的是嫦娥，前因堕落人寰，几乎给人为配；幸亏观音点化，他就未嫁而逝。（也是暗示黛玉的命运。也是前八十回已经多次用过的法子。）此时升引月宫。不听见曲里头唱的：「人间只道风情好，那知道秋月春花容易抛，几乎不把广寒宫忘却了！」第四出是「吃糠」。第五出是达摩带着徒弟过江回去。正扮出些海市蜃楼，好不热闹。

众人正在高兴时，忽见薛家的人满头汗闯进来，向薛蝌说道：「二爷快回去！并里头回明太太，也请速回去，家中有要紧事。」薛蝌道：「什么事？」家人道：「家去说罢。」薛蝌也不及告辞，就走了。薛姨妈见里头丫头传进话去，更骇得面如土色，即忙起身，带着宝琴，别了一声，即刻上车回去了。弄得内外愕然。贾母道：「咱们这里打发人跟过去听听，到底是什么事，大家都关切的。」（几家欢乐几家愁？也是上天的黄牌警告，不可乐大发了！每遇喜事，必有变故，是「红」常用的法子，也是生活的规律，可以叫做「天意」的。）众人答应了个「是」。

不说贾府依旧唱戏，单说薛姨妈回去，只见有两个衙役站在二门口，几个当铺里伙计陪着，说：「太太回来，自有道理。」正说着，薛姨妈已进来了。那衙役们见跟从着许多男妇，簇拥着一位老太太，便知是薛蟠之母。看见这个势派，也不敢怎么，只得垂手侍立，让薛姨妈进去了。那薛姨妈走到厅房后面，早听见有人大哭，却是金桂。薛姨妈赶忙走来，只见宝钗迎出来，满面泪痕，见了薛姨妈，便道：「妈妈听了，先别着急，办事要紧。」薛姨妈同着宝钗进了屋子，因为头里进门时，已经走着听见家人说了，吓的战战兢兢的了，一面哭着，因问：「到底是合谁？」只见家人回道：「太太此时且不必问那些底细，凭他是谁，打死了总是要偿命的，且商量怎么办才好。」薛姨妈哭着出来道：「还有什么商议？」家人道：「依小的们的主见，今夜打点银两，同着二爷赶去，和大爷见了面，就在那里访一个有斟酌的刀笔先生，许他些银子，先把死罪撕掳开，回来再求贾府去上司衙门说情。（薛家面对这样的难题并非首次，包括家人，都有经验。官司靠律师，「红」已有之。）还有外面的衙役，太太先拿出几两银子来打发了他们，我们好赶着办事。」薛姨妈道：「你们找着那家子，许他发送银子再给他些养济银子。原告不追，事情就缓了。」宝钗在帘内说道：「妈妈，使不得。这些事，越给钱越闹的凶，倒是刚才小厮说的话是。」（宝钗精通一切世故，包括打死人的处理办法。）薛姨妈又哭道：「我也不要命了，赶到那里见他一面，同他死在一处就完了。」宝钗急的一面劝，一面在帘子里叫人：「快同二爷办去罢。」丫头们搀进薛姨妈来。薛蝌才往外走，宝钗道：「有什么信，打发人即刻寄了来，你们只管在外头照料。」薛蝌答应着去了。

这宝钗方劝薛姨妈，那里金桂趁空儿抓住香菱，又和他嚷道：「平常你们只管夸他们家里打死了人，一点事也没有，就进京来了的；如今撺掇的真打死人了。平日里只讲有钱，有势，有好亲戚，这时候我看着也是吓的慌手慌脚的了。（金桂此话不能完全视为混搅。为什么不早一点给薛蟠一个教训呢？）大爷明儿有个好歹儿不能回来时，你们各自干你们的去了，撂下我一个人受罪！」说着，又大哭起来。这里薛姨妈听见，越发气的发昏，宝钗急的没法。正闹着，只见贾府中王夫人早打发大丫头过来打听来了。宝钗虽心知自己是贾府的人了，一则尚未提明，二则事急之时，只得向那大丫头道：「此时事情头尾尚未明白，就只听见说我哥哥在外头打死了人，被县里拿了去了，也不知怎么定罪呢。刚才二爷才去打听去了。一半日得了准信，赶着就给那边太太送信去。你先回去道谢太太惦记着，底下我们还有多少仰仗那边爷们的地方呢。』（到这时候倒是不掉文嚼字了。这种文体在『红』的人物中应属罕见。）

那丫头答应着去了。

薛姨妈和宝钗在家，抓摸不着。过了两日，只见小厮回来，拿了一封书，交给小丫头拿进来。宝钗拆开看时，书内写着：

大哥人命是误伤，不是故杀。今早用蝌出名，补了一张呈纸进去，尚未批出。大哥前头口供甚是不好。待此纸批准后，再录一堂，能彀翻供得好，便可得生了。快向当铺内再取银五百两来使用，千万莫迟！并请太太放心。余事问小厮。（此信文字简练，是电报体。）

宝钗看了，一一念给薛姨妈听了。薛姨妈拭着眼泪说道：『这么看起来，竟是死活不定了。』宝钗道：『妈妈先别伤心，等着叫进小厮来问明了再说。』一面打发小丫头把小厮叫进来。薛姨妈便问小厮道：『你把大爷的事细说与我听听。』小厮道：『我那一天晚上，听见大爷和二爷说的，把我唬糊涂了。』未知小厮说出什么话来，下回分解。（每循环——重复一次事情就严重化一次，家业就衰败一次。事物总是螺旋式、波浪式发展的，这确是中国式的辩证的发展观。）

续书本来是不可能的。读者面对续作，就和机体面对异物一样，必有排异反应。续书而被接受，则是独一无二的奇迹。两种可能：一、续而有残篇佚稿做依据，不是纯然续作。二、续作充分利用了前八十回的种种提供，并没有出前八十回的圈子。如此回，给北静王拜寿，贾芸的骚扰，薛蟠打死人……均有出处。我们还可以做另一种想象：前八十回已经写得太丰富活现了，即使是雪芹本人，写这后四十回，也突破不了自己的前八十回了。长篇小说总是愈写愈难的，前面写得愈好，后面就愈跳不出新高度来。

人生就是这样，常常失去自己的方向，左顾右盼，东张西望，进进退退，惚惚恍恍，等方向明确了，不但不可挽回，而且似乎是祸从天降。

第八十六回　受私贿老官翻案牍　寄闲情淑女解琴书

话说薛姨妈听了薛蝌的来书，因叫进小厮，问道：『你听见你大爷说，到底是怎么就把人打死了呢？』小厮道：『小的也没听真切。那一日，大爷告诉二爷说……』说着回头看了一看，见无人，才说道：『大爷说：自从家里闹的特利害，大爷也没心肠了，所以要到南边置货去。这日想着约一个人同行，这人在咱们这城南二百多地住。大爷找他去了，遇见在先和大爷好的那个蒋玉函，带着些小戏子进城，大爷同他在个铺子里吃饭喝酒。（蒋玉函久违了，别来无恙乎？『红』之降大任于斯人也，需要找出来温习温习了。怎么蒋玉函老是与麻烦同在？）因为这当槽儿的尽着拿眼瞟蒋玉函，大爷就有了气了。后来蒋玉函走了。第二天，大爷就请找的那个人喝酒。酒后想起头一天的事来，叫那当槽儿的换酒，那当槽儿的来迟了，大爷就骂起来了。那个人不依，大爷就拿起酒碗照他打去。谁知那个人也是个泼皮，便把头伸过来叫大爷打。（也是泼皮，『也』字妙，说明薛蟠已被确认为泼皮。）大爷拿碗就砸他的脑袋，一下他就冒了血了，躺在地下。头里还骂，后头就不言语了。』薛姨妈道：『怎么也没人劝劝吗？』那小厮道：『这个没听见大爷说，小的不敢妄言。』薛姨妈道：『你先去歇歇罢。』小厮答应出来。

这里薛姨妈自来见王夫人，托王夫人转求贾政。贾政问了前后，也只好含糊应了，只说等薛蝌递了呈子，看他本县怎么批了，再作道理。（新官尚未上任，人命官司的后门已开，『正』在何处？）

这里薛姨妈又在当铺里兑了银子，叫小厮赶着去了。三日后，果有回信，薛姨妈接着了，即叫小丫头告诉宝钗，连忙过来看了。只见书上写道：

带去银两做了衙门上下使费。哥哥在监，也不大吃苦，请太太放心。独是这里的人狠刁，尸亲见证都不依，连哥哥请的那个朋友也帮着他们。我与李祥两个俱系生地生人，幸找着一个好先生，许他银子，才讨个主意，说是：须得拉扯着同哥哥喝酒的吴良，弄人保出他来，许他银两，叫他撕掳。他若不依，便说张三是他打死，明推在异乡人身上。他吃不住，就好办了。（遇到人命官司如何赖账，叫做如何『撕掳』，讲得头头是道。）我依着他，果然吴良出来。现在买嘱尸亲见证，又做了一张呈子，前日递的，今日批来，请看呈底便知。（自古以来，官司中黑幕亦多。）

因又念呈底道：

『具呈人某，呈为兄遭飞祸、代伸冤抑事：窃生胞兄薛蟠，本籍南京，寄寓西京，于某年月日，备本往南贸易。去未数日，家奴送信回家，说道人命，生即奔宪治，知兄误伤张姓。及至囹圄，据兄泣告，实与张姓素不相认，并无仇隙。偶因换酒角口，生兄将酒泼地，恰值张三低头拾物，一时失手，酒碗误碰囟门身死。蒙恩拘讯，兄惧受刑，承认斗殴致死。仰蒙宪天仁慈，知有冤抑，尚未定案。生兄在禁，具呈诉辩，有干例禁；生念手足，冒死代呈。伏乞宪慈恩准提证质讯，开恩莫大，生等举家仰戴鸿仁，永永无既矣！激切上呈。』批的是：『尸场检验，证据确凿。且并未用刑，尔兄自认斗杀，招供在案。今尔远来，并非目睹，何得捏词妄控？理应治罪，姑念为兄情切，且恕。不准。』

薛姨妈听到那里，说道：『这不是救不过来了么，这怎么好呢？』宝钗道：『二哥的书还没看完，后面还有呢。』因又念道：『有要紧的，问来使便知。』薛姨妈便问来人。因说道：『县里早知我们的家当充足。须得在京里谋干得大情，再送一分大礼，还可以复审，从轻定案。太太此时，必得快办，再迟了就怕大爷要受苦了。』（这个利用权势、金钱、亲友关系颠倒黑白为薛蟠开脱死罪的故事写得细，合情合理。比第四回同类事件写得充实。后四十回中同类情节能写过前八十回的，绝无仅有，这是一个。或谓这反映了薛家权势的没落？打死冯某时，何等轻松就没了事！）

薛姨妈听了，叫小厮自去，即刻又到贾府与王夫人说明原故，恳求贾政。贾政只肯托人与知县说情，不肯提及银物。薛姨妈恐不中用，求凤姐与贾琏说了，花上几千银子，才把知县买通，薛蝌那里也便弄通了，然后知县挂牌坐堂，传齐了一干邻保、证见、尸亲人等，监里提出薛蟠，刑房书吏俱一一点名。知县便叫地保对明初供，又叫尸亲张王氏并尸叔张二问话。张王氏哭禀道：『小的的男人是张大，南乡里住，十八年前死了。大儿子、二儿子，也都死了。光留下这个死的儿子，叫张三，今年二十三岁，还没有娶女人呢。为小人家里穷，没得养活，在李家店里做当槽儿的。那一天晌午，李家店里打发人来叫俺，说：「你儿子叫人打死了。」我的青天老爷！小的就唬死了。跑到那里，看见我儿子头破血出的躺在地下喘气儿，问他话也说不出来，不多一会儿，就死了。小人就要揪住这个小杂种拚命。』（张王氏的叙述很有水平，清晰准确。）众衙役吆喝一声，张王氏便磕头道：『求青天老爷伸冤，小人就只这一个儿子了。』知县便叫：『下去。』又叫李家店的人问道：『那张三是在你店内佣工的么？』那李二回道：『不是佣工，是做当槽儿的。』知县道：『那日尸场上，你说张三是薛蟠将碗砸死的，你亲眼见的么？』李二说道：『小的在柜上，听见说客房里要酒，不多一回，便听见说，「不好了，打伤了！」小的跑进去，只见张三躺在地下，也不能言语。小的便喊禀地保，一面报他母亲去了。他们到底怎样打的，实在不知道，求太爷问那喝酒的便知道了。』（偷梁换柱。黑！）知县喝道：『初审口供你是亲见的，怎么如今说没有见？』

李二道：『小的前日唬昏了乱说。』（已经翻掉一部分了。）衙役又吆喝了一声。知县便叫吴良问道：『你是同在一处喝酒的么？薛蟠怎么打的？据实供来！』吴良说：『小的那日在家，这个薛大爷叫我喝酒。他嫌酒不好，要换，张三不肯。薛大爷生气，把酒向他脸上泼去，不晓得怎么样，就碰在那脑袋上了。这是亲眼见的。』知县道：『胡说！前日尸场上，薛蟠自己认拿碗砸死的，你说你亲眼见的，怎么今日的供不对？掌嘴！』（知县做态，实为联手。）衙役答应着要打。吴良求着说：『薛蟠实没有与张三打架，酒碗失手碰在脑袋上的。求老爷问薛蟠，便是恩典了。』

知县叫提薛蟠，问道：『你与张三到底有什么仇隙？究竟是如何死的？实供上来！』（强调有何仇隙，便是有意开脱。）薛蟠道：『求太老爷开恩，小的实没有打他，为他不肯换酒，故拿酒泼地。不想一时失手，酒碗误碰在他的脑袋上。小的即忙掩他的血，那里知道再掩不住，血淌多了，过一回就死了。前日尸场上，怕太老爷要打，所以说是拿碗砸他的。只求太老爷开恩。』知县便喝道：『好个糊涂东西！本县问你怎么砸他的，你便供说恼他不换酒，才砸的，今日又供是失手碰的。』知县假作声势，要打要夹。薛蟠一口咬定。知县叫仵作：『将前日尸场填写伤痕，据实报来。』仵作禀报说：『前日验得张三尸身无伤，惟囟门有磁器伤，长一寸七分，深五分，皮开，囟门骨脆，裂破三分。实系磕碰伤。』

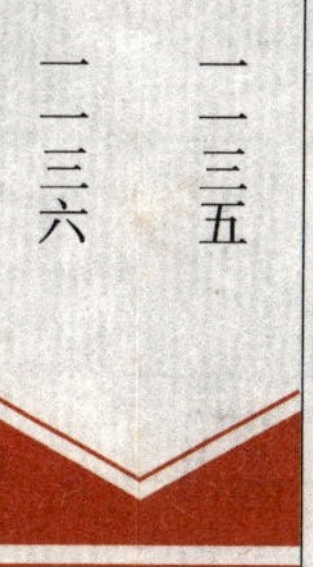

知县查对尸格相符，早知书吏改轻，也不驳诘，胡乱便叫画供。张王氏哭喊道：『青天老爷！前日听见还有多少伤，怎么今日都没有了？』知县道：『这妇人胡说！现有尸格，你不知道么？』叫尸叔张二，便问道：『你侄儿身死，你知道有几处伤？』张二忙供道：『脑袋上一伤。』知县道：『可又来。』叫书吏将尸格给张王氏瞧去，并叫地保、尸叔指明与他瞧，现有尸场亲押、证见，俱供并未打架，不为斗殴，只依误伤，吩咐画供，将薛蟠监禁候详，余令原保领出，退堂。（衙门口向南开，有理无钱莫进来。）张王氏哭着乱嚷，知县叫众衙役：『撵他出去！』张二也劝张王氏道：『实在误伤，怎么赖人？现在太老爷断明，不要胡闹了。』

（审案翻供，上下其手，以假做真，头头是道，一出不好演的戏能演得这么好，难煞「导演」。应作为司法史的一个参考资料读。）

（人治大于法治，此是一例。）

薛蝌在外打听明白，心内喜欢，便差人回家送信，等批详回来，便好打点赎罪，且住着等信。只听路上三三两两传说：『有个贵妃薨了，皇上辍朝三日。』这里离陵寝不远，知县办差垫道，一时料着不得闲，住在这里无益，不如到监，告诉哥哥：『安心等着，我回家去，过几日再来。』薛蟠也怕母亲痛苦，带信说：『我无事，必须衙门再使费几次，便可回家了，只是不要可惜银钱。』薛蝌留下李祥在此照料，一径回家，见了薛姨妈，陈说知县怎样徇情，怎样审断，终定了误伤：『将来尸亲那里再花些银子，一准赎罪，便没事了。』（一笔笔的账，留下后患。）薛姨妈听说，暂且放心，说：『正盼你来家中照应。贾府里本该谢去，况且周贵妃薨了，他们天天进去，家里空落落的。（贾妃病而复愈，周妃病死，铺垫贾妃终于病死。贾妃要死，也不能一下就死。）我想着要去替姨太太那边照应照应，作伴儿，只是咱们家又没人，你这来的正好。」薛蝌道：「我在外头，原听见说是贾妃薨了，这么才赶回来的。我们元妃好好儿的，怎么说死了？」薛姨妈道：「上年原病过一次，也就好了。这回又没听见元妃有什么病，只闻那府里头几天老太太不大受用，合上眼便看见元妃娘娘，众人都不放心。直至打听起来，又没有什么事。到了大前儿晚上，老太太亲口说是『怎么元妃独自一个人到我这里？』众人只道是病中想的话，总不信。老太太又说：『你们不信，元妃还与我说是：「荣华易尽，须要退步抽身。」』（荣华易尽，退步抽身，原则是对的，但缺少可操作性。可卿托梦时谈得倒具体些。）众人都说：『谁不想到？这是有年纪的人思前想后的心事。』所以也不当件事。恰好第二天早起，里头吵嚷出来，说娘娘病重，宣各诰命进去请安。他们就惊疑的了不得，赶着进去。他们还没有出来，我们家里已听见周贵妃薨逝了。你想外头的讹言，家里的疑心，恰碰在一处，可奇不奇？」（厄运将至，草木皆兵。也是造势，造贵妃病死之势。）宝钗道：「不但是外头的讹言舛错，便在家里的，一听见『娘娘』两个字，也就都忙了，过后才明白。这两天那府里这些丫头婆子来说，他们早知道不是咱们家的娘娘。我说：『你们那里拿得定呢？』他说道：『前几年正月，外省荐了一个算命的，说是狠准。那老太太叫人将元妃八字夹在丫头们八字里头，送出去叫他推算，他独说这正月初一日生日的那位姑娘，只怕时辰错了，不然，真是个贵人，也不能在这府中。老爷和众人说，不管他错不错，照八字算去。那先生便说，甲申年，正月丙寅，这四个字内，有「伤官」「败财」。惟「申」字内有「正官」「禄马」，这就是家里养不住的，也不见什么好。这日子是乙卯，初春木旺，虽是「比

肩」，那里知道愈「比」愈好，就像那个好木料，愈经斫削，才成大器。』独喜得时上什么辛金为贵，什么巳中『正官』『禄马』独旺：这叫作『飞天禄马格』。又说什么『日禄归时』，贵重的狠。天月二德坐本命，贵受椒房之宠。这位姑娘，若是时辰准了，定是一位主子娘娘。这不是算准了么？（大谈占卜算命，也是中国传统文化的一个部分——糟粕也罢。又补上百科全书的一个空白。算命虽是迷信，但阴阳五行相生相克，天干地支，强调宿命的同时又强调随机转化的可能性、可塑性，反映了古人对于命运的朴素辩证见解。）我们还记得说，可惜荣华不久；只怕遇着寅年卯月，这就是『比而又比，劫而又劫』，譬如好木，太要做玲珑剔透，本质就不坚了。』他们把这些话都忘记了，只管瞎忙。我才想起来，告诉我们大奶奶，今年那里是寅年卯月呢。」（不要忘记寅年卯月。『虎兕相逢大梦归』。）宝钗尚未说完，薛蝌急道：「且不要管人家的事，既有这样个神仙算命的，我想哥哥今年什么恶星照命，遭这么横祸？快开八字与我，给他算去，看有妨碍么。」宝钗道：「他是外省来的，不知如今在京不在了。」（神龙见首不见尾。如当真找了来，就不『神』了。）

说着，便打点薛姨妈往贾府去。到了那里，只有李纨探春等在家接着，便问道：「大爷的事，怎么样了？」薛姨妈道：「等详上司才定，看来也到不了死罪了。」这才大家放心。探春便道：「昨晚太太想着说：『上回家里有事，全仗姨太太照应；如今自己有事，也难提了。』心里只是不放心。」薛姨妈道：「我在家里，也是难过。只是你大哥遭了这事，你二兄弟又办事去了，家里你姐姐一个人，中什么用？况且我们媳妇儿又是个不大晓事的，所以不能脱身过来。目今那里知县也正为预备周贵妃的差事，不得了结案件，所以你二兄弟回来了，我才得过来看看。」李纨便道：「请姨太太这里住几天更好。」薛姨妈点头道：「我也要在这边给你们姐妹们作作伴儿，就只你宝妹妹冷静些。」惜春道：「姨

妈要惦着，为什么不把宝姐姐也请过来？』薛姨妈笑着说道：『使不得。』惜春道：『怎么使不得？他先怎么住着来呢？』李纨道：『你不懂的。人家家里如今有事，怎么来呢？』惜春也信以为实，不便再问。（不断零敲碎打，旁敲侧击。这些对于书中人物未必要紧，更要紧的是对于读者的吊胃口。续作还是注意阅读心理的。）

正说着，贾母等回来，见了薛姨妈，也顾不得问好，便问薛蟠的事。薛姨妈细述了一遍。宝玉在旁听见什么蒋玉函一段，当着人不问，心里打量是：『他既回了京，怎么不来瞧我？』又见宝钗也不过来，不知是怎么个原故，心内正自呆呆的想呢，恰好黛玉也来请安，宝玉稍觉心里喜欢，便把想宝钗来的念头打断，同着姊妹们在老太太那里吃了晚饭。大家散了，薛姨妈将就住在老太太的套间屋里。

宝玉回到自己房中，换了衣服，忽然想起蒋玉函给的汗巾，便向袭人道：『你那一年没有系的那条红汗巾子，还有没有？』（这些都是往书的收拢，结束方面使劲。）袭人道：『我搁着呢，问他做什么？』宝玉道：『我白问问。』袭人道：『你没有听见薛大爷相与这些混账人，所以闹到人命关天！（袭人称之为『混账人』，命运是何等地善于与人开玩笑呀！）你还提那些作什么？有这样白操心，倒不如静静儿的念念书，把这些个没要紧的事撂开了也好。』宝玉道：『我并不闹什么，偶然想起，有也罢，没也罢，我白问一声，你们就有这些话。』袭人笑道：『并不是我多话。一个人知书达礼，就该往上巴结才是。就是心爱的人来了，（『心爱的人』四字，很摩登的说法。）也叫他瞧着喜欢尊敬啊。』宝玉被袭人一提，便说：『了不得！方才我在老太太那边，看见人多，没有与林妹妹说话，他也不曾理我。散的时候，他先走了。此时必在屋里，我去就来。』说着就走。袭人道：『快些回来罢。这都是我提头儿，倒招起你的高兴来了。』

宝玉也不答言，低着头，一径走到潇湘馆来，只见黛玉靠在桌上看书。宝玉走到跟前，笑说道：『妹妹早回来了？』黛玉也笑道：『你不理我，我还在那里做什么？』宝玉一面笑说：『他们人多说话，我插不下嘴去，所以没有和你说话。』一面瞧着黛玉看的那本书，书上的字一个也不认得。有的像『芍』字，有的像『茫』字；也有一个『大』字旁边『九』字加上一勾，中间又添个『五』字；也有上头『五』字『六』字又添一个『木』字，底下又是一个『五』字。看着又奇怪，又纳闷，便说：『妹妹近日愈发进了，看起天书来了。』黛玉『嗤』的一声笑道：『好个念书的人，连个琴谱都没有见过？』（算完卦再论琴，又补一『科』。）宝玉道：『琴谱怎么不知道？为什么上头的字一个也不认得？妹妹，你认得么？』黛玉道：『不认得瞧他做什么？』宝玉道：『我不信，从没有听见你会抚琴。我们书房里挂着好几张，前年来了一个清客先生，叫做什么嵇好古，（嵇康之后乎？思慕嵇康乎？）老爷烦他抚了一曲。他取下琴来，说都使不得，还说：「老先生若高兴，改日携琴来请教。」想是我们老爷也不懂，他便不来了。怎么你有本事藏着？』黛玉道：『我何尝真会呢？前日身上略觉舒服，在大书架上翻书，看有一套琴谱，甚有雅趣，上头讲的琴理甚通，手法说的也明白，真是古人静心养性的工夫。（古人追求以艺术静心养性，强调的是艺术的消解作用。今人则讲究以艺术唤醒、鼓劲，强调其激发作用。）我在扬州，也听得讲究过，也曾学过，只是不弄了，就没有了。这果真是「三日不弹，手生荆棘」。前日看这几篇，没有曲文，只有操名，我又到别处找了一本有曲文的来看着，才有意思。究竟怎么弹得好，实在也难。书上说的：师旷鼓琴，能来风雷龙凤。孔圣人尚学琴于师襄，一操便知其为文王。高山流水，得遇知音。』（对于音乐有一种夸张的、形而上的敬畏。）说到这里，眼皮儿微微一动，慢慢的低下头去。

（宝钗论卜，黛玉论琴，各司其职，各尽其妙。以琴调理性情，以卜过问天机，以古人的观点，后者实更『伟大』。太伟大了，就难于持久与经受推敲。所以今人益发喜欢黛玉。其实今人的生活里黛玉情趣、黛玉精神日益萎缩了。便更觉难能可贵。）

宝玉正听得高兴，便道：『好妹妹，你才说的实在有趣。只是我才见上头的字，都不认得，你教我几个呢。』黛玉道：『不用教的，一说便可以知道的。』宝玉道：『我是个糊涂人，得教我那个「大」字加一勾，中间一个「五」字的。』黛玉笑道：『这「大」字「九」字是用左手大拇指按琴上的「九徽」，这一勾加「五」字是右手钩「五弦」，并不是一个字，乃是一声，是极容易的。还有吟、揉、绰、注、撞、走、飞、推等法，是讲究手法的。』宝玉乐得手舞足蹈的说：『好妹妹，你既明琴理，我们何不学起来？』黛玉道：『琴者，禁也。古人制下，原以治身，涵养性情，抑其淫荡，去其奢侈。若要抚琴，必择静室高斋，或在层楼的上头，在林石的里面，或是山巅上，或是水涯上。再遇着那天地清和的时候，风清月朗，焚香静坐，心不外想，气血和平，才能与神合灵，与道合妙。所以古人说：「知音难遇。」若无知音，宁可独对着那清风明月，苍松怪石，野猿老鹤，抚弄一番，以寄兴趣，方为不负了这琴。还有一层，又要指法好，取音好。若必要抚琴，先须衣冠整齐，或鹤氅，或深衣，要知古人的象表，那才能称圣人之器。然后盥了手，焚上香，方才将身就在榻边，把琴放在案上，坐在第五徽的地方儿，对着自己的当心，两手方从容抬起：这才心身俱正。还要知道轻重疾徐，卷舒自若，体态尊重方好。』（这

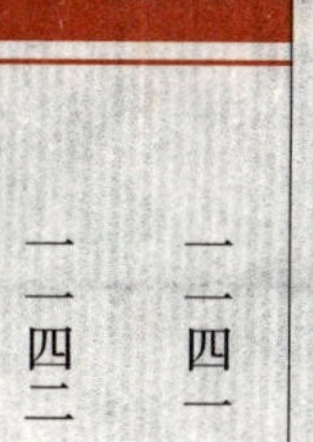

一段写得入神。联想一下现代摇滚乐中例如弹电吉他的，令人哑然失笑而又怅然若失。音乐神学。回到自然中去。超尘脱俗。）宝玉道：『我们学着顽，若这么讲究起来，那就难了。』（黛玉是一个较有艺术气质的人。黛玉论琴与黛玉论诗各有其妙。从某种意义上说，她的论诗仍嫌皮相，不若此论琴，尽从精神状态上做文章。）

两个人正说着，只见紫鹃进来，看见宝玉，笑说道：『宝二爷，今日这样高兴。』宝玉笑道：『听见妹妹讲究的，叫人顿开茅塞，所以越听越爱听。』紫鹃道：『不是这个高兴，说的是二爷到我们这边来的话。』宝玉道：『先时妹妹身上不舒服，我怕闹的他烦，再者，我又上学，因此显着就疏远了是的。』紫鹃不等说完，便道：『姑娘也是才好。二爷既这么说，坐坐也该让姑娘歇歇儿了，别叫姑娘只是讲究劳神了。』宝玉笑道：『可是我只顾爱听，也就忘了妹妹劳神了。』黛玉笑道：『说这些倒也开心，也没有什么劳神的。只是怕我只管说，你只管不懂呢。』宝玉道：『横竖慢慢的自然明白了。』说着，便站起来，道：『当真的妹妹歇歇儿罢。明儿我告诉三妹妹和四妹妹去，叫他们都学起来，让我听。』黛玉笑道：『你也太受用了。即如大家学会了抚起来，你不懂，可不是对。』黛玉说到那里，想起心上的事，便缩住口，不肯往下说了。宝玉便笑着道：『只要你们能弹，我便爱听，也不管「牛」不「牛」的了。』（对牛弹琴的故事用在这里，不觉其蠢，但觉其纯。）黛玉红了脸一笑，紫鹃雪雁也都笑了。于是走出门来。只见秋纹带着小丫头，捧着一小盆兰花来，说：『太太那边有人送了四盆兰花来，因里头有事，没有空儿顽他，叫给二爷一盆，林姑娘一盆。』黛玉看时，却有几枝双朵儿的，心中忽然一动，也不知是喜是悲，便呆呆的呆看。那宝玉此时却一心只在琴上，便说：『妹妹有了兰花，就可以做《猗兰操》了。』

黛玉听了，心里反不舒服。回到房中，看着花，想到『草木当春，花鲜叶茂，想我年纪尚小，便像三秋蒲柳。若是果能随愿，或者渐渐的好来；不然，只恐似那花柳残春，怎禁得风催雨送！』想到那里，不禁又滴下泪来。紫鹃在旁看见这般光景，却想不出原故来：『方才宝玉在这里，那么高兴；如今好好的看花，怎么又伤起心来？』正愁着没法儿劝解，只见宝钗那边打发人来。未知何事，下回分解。（八十六回，一半讲薛蟠的官司，中间插一段讲元妃的命相，后一小半则大讲抚琴，这也算一生二，二生三，三生万物了。）

论卜论琴，中国文化是论不完的。多一人命，薛蟠的麻烦与司法的黑暗是演不完的。恶贯满盈，指日可待矣。

第八十七回　感秋深抚琴悲往事　坐禅寂走火入邪魔

却说黛玉叫进宝钗家的女人来，问了好，呈上书子，黛玉叫他去喝茶，便将宝钗来书打开看时，只见上面写着：

妹生辰不偶，家运多艰，姊妹伶仃，萱亲衰迈。兼之猇声狺语，旦暮无休；更遭惨祸飞灾，不啻惊风密雨。夜深辗侧，愁绪何堪！属在同心，能不为之愍恻乎？回忆海棠结社，序属清秋，对菊持螯，同盟欢洽。犹记『孤标傲世偕谁隐，一样花开为底迟』之句，未尝不叹冷节遗芳，如吾两人也。感怀触绪，聊赋四章。匪曰无故呻吟，亦长歌当哭之意耳。

悲时序之递嬗兮，又属清秋。感遭家之不造兮，独处离愁。北堂有萱兮，何以忘忧？无以解忧兮，我心咻咻！一解。

云凭凭兮秋风酸，步中庭兮霜叶干。何去何从兮，失我故欢。静言思之兮恻肺肝！二解。

惟鲔有潭兮，惟鹤有梁。鳞甲潜伏兮，羽毛何长！搔首问兮茫茫，高天厚地兮，谁知余之永伤？三解。

银河耿耿兮寒气侵，月色横斜兮玉漏沉。忧心炳炳兮，发我哀吟。吟复吟兮，寄我知音。四解。（文词俱佳，不让前八十回。）

黛玉看了，不胜伤感。又想：『宝姐姐不寄与别人，单寄与我，也是「惺惺惜惺惺」的意思。』（其实不仅爱情，『各条战线』莫不如此，能够成为对手，正说明了彼此的承认，而所谓『小爬虫』『酷评家』之类，正是削尖了脑袋往对手圈里钻。）正在沉吟，只听见外面有人说道：『林姐姐在家里呢么？』黛玉一面把宝钗的书叠起，口内便答应道：『是谁？』正问着，早见几个人进来，却是探春、湘云、李纹、李绮。彼此问了好，雪雁倒上茶来，大家喝了，说些闲话。因想起前年的『菊花诗』来，黛玉便道：『宝姐姐自从挪出去，来了两遭，如今索性有事也不来了，真真奇怪。我看他终久还来我们这里不来。』探春微笑道：『怎么不来？横竖要来的。如今是他们尊嫂有些脾气，姨妈上了年纪的人，又兼有薛大哥的事，自然得宝姐姐照料一切。那里还比得先前有工夫呢。』

从才具、悟性、学问方面看，钗黛应属知音。从个性、追求上看，二人实能互补。形而上地看，这二人真该合而一，兼美平衡，此二人判词、图画合一之原因也。从创作论上看，这二人俱是作者的理想与困惑的果实（并不是各占一半），统一在作者的向往、夸赞、遗憾和叹息里，统一在色即是空的观念里，统一在贾宝玉的『意淫』与心灵里，统一在一个煊赫一时而终于败落的家族史里。而一进入形而下的领域，二人就成了情敌，乃至二人发生了春秋战国的关系。现实的利害冲突，侵入并歪曲了人间的友谊。这又能怨谁呢？）

正说着，忽听得『唿喇喇』一片风声，吹了好些落叶打在窗纸上。停了一回儿，又透过一阵清香来。众人闻着，都说道：『这是何处来的香风？这像什么香？』黛玉道：『好像木樨香。』探春笑道：『林姐姐终不脱南边人的话。这大九月里的，那里还有桂花呢？』黛玉笑道：『原是啊，不然怎么不竟说「是」桂花香，只说似乎「像」呢？』湘云道：『三姐姐，你也别说。你可记得「十里荷花，三秋桂子」？在南边正是晚桂开的时候了，你只没有见过罢了。等你明日到南边去的时候，你自然也就知道了。』探春笑道：『我有什么事到南边去？况且这个也是我早知道的，不用你们说嘴。』（事事皆有预兆预告。闲言笑语亦关天意。令人怵惕。）李纹李绮只抿着嘴儿笑。黛玉道：『妹妹，这可说不齐。俗语说：「人是地行仙。」今日在这里，明日就不知在那里。譬如我原是南边人，怎么到了这里呢？』湘云拍着手笑道：『今儿三姐姐可叫林姐姐问住了。不但林姐姐是南边人到这里，就是我们这几个人就不同：也有本来是北边的；也有根子是南边，生长在北边的；也有生长在南边，到这北边的，今儿大家都凑在一处。可见人总有一个定数。大凡地和人，总是各自有缘分的。』（未经之时，一切都是变数。既经之后，一切都是定数。只能用缘分的无解释来解释一切。）众人听了，都点头，探春也只是笑。又说了一会子闲话儿，大家散出。黛玉送到门口，大家都说：『你身上才好些，别出来了，看着了风。』（黛玉是屡病屡好，终于不治；元妃是屡传屡虚，终于坐实。）

于是黛玉一面说着话儿，一面站在门口，又与四人殷勤了几句，便看着他们出院去了。进来坐着，看看已是林鸟归山，夕阳西坠。因史湘云说起南边的话，便想着：『父母若在，南边的景致，春花秋月，水秀山明，二十四桥，

六朝遗迹。不少下人伏侍，诸事可以任意，言语亦可不避。香车画舫，红杏青帘，惟我独尊。（略说几句，虽是俗套，已是怅然。人人都要惟我独尊，殆矣。）今日寄人篱下，纵有许多照应，自己无处不要留心。不知前生作了什么罪孽，今生这样孤凄。真是李后主说的「此间日中只以眼泪洗面」矣！』（几是专业感伤者。）一面思想，不知不觉神往那里去了。紫鹃走来，看见这样光景，想着必是因刚才说起南边北边的话来，一时触着黛玉的心事了，便问道：『姑娘们来说了半天话，想来姑娘又劳了神了。刚才我叫雪雁告诉厨房里，给姑娘作了一碗火肉白菜汤，加了一点儿虾米儿，配了点青笋紫菜，姑娘想着好么？』黛玉道：『也罢了。』紫鹃道：『还熬了一点江米粥。』黛玉点点头儿，又说道：『那粥该你们两个自己熬了，不用他们厨房里熬才是。』紫鹃道：『我也怕厨房里弄的不干净，我们各自熬呢。就是那汤，我也告诉雪雁合柳嫂儿说了，要弄干净着。柳嫂儿说了：他打点妥当，拿到他屋里，叫他们五儿瞅着燉呢。』黛玉道：『我倒不是嫌人家腌臜，只是病了好些日子，不周不备，都是人家，这会子又汤儿粥儿的调度，未免惹人厌烦。』说着，眼圈儿又红了。紫鹃道：『姑娘这话也是多想。姑娘是老太太的外孙女儿，又是老太太心坎儿上的。别人求其在姑娘跟前讨好儿还不能呢，那里有抱怨的？』黛玉点点头儿，因又问道：『你才说的五儿，不是那日合宝二爷那边的芳官在一处的那个女孩儿？』紫鹃道：『就是他。』黛玉道：『不听见说要进来么？』紫鹃道：『可不是，因为病了一场；后来好了，才要进来，正是晴雯他们闹出事来的时候，也就耽搁住了。』（五儿的『进来』，好事多磨。）黛玉道：『我看那丫头倒也还头脸儿干净。』

说着，外头婆子送了汤来。雪雁出来接时，那婆子说道：『柳嫂儿叫回姑娘：这是他们五儿作的，没敢在大

厨房里作，怕姑娘嫌腌臜。』雪雁答应着，接了进来。黛玉在屋里，已听见了，吩咐雪雁：『告诉那老婆子回去说，叫他费心。』雪雁出来说了，老婆子自去。这里雪雁将黛玉的碗箸安放在小几儿上，因问黛玉道：『还有咱们南来的五香大头菜，拌些麻油、醋，可好么？』（五香大头菜，至今受欢迎。这种吃粥之法至今不衰。先说是婆子送上汤来，又说是粥，汤乎粥乎，汤即粥乎？）黛玉道：『也使得，只不必累坠了。』一面盛上粥来。黛玉吃了半碗，用羹匙舀了两口汤喝，就搁下了。两个丫鬟撤下来了，拭净了小几，端下去，又换上一张常放的小几。黛玉漱了口，盥了手，便道：『紫鹃，添了香了没有？』紫鹃道：『就添去。』黛玉道：『你们就把那汤合粥吃了罢，（汤和粥共用乎？）味儿还好，且是干净。待我自己添香罢。』两个人答应了，在外间自吃去了。这里黛玉添了香，自己坐着，才要拿本书看，只听得园内的风，自西边直透到东边，穿过树枝，都在那里『唏嚕哗喇』不住的响。一会儿，檐下的铁马也只管『叮叮当当』的乱敲起来。（是风铃吧？）一时，雪雁先吃完了，进来伺候。黛玉便问道：『天气冷了，我前日叫你们把那些小毛儿衣服晾晾，可曾晾过没有？』（闻西风而思衣，倒叫人觉得实在。）雪雁道：『都晾过了。』黛玉道：『你拿一件来我披披。』雪雁走去，将一包小毛衣服抱来，打开毡包，给黛玉自拣。只见内中夹着个绢包儿。黛玉伸手拿起，打开看时，却是宝玉病时送来的旧手帕，自己题的诗，上面泪痕犹在。（赠帕题诗，十分重要的情节，该有所温习了。转眼赠帕已成往事，何待林卿，余亦落泪矣。《论语》云，温故而知新。今次温故而不知新，温故而迷，不亦悲乎？）里头却包着那剪破了的香囊、扇袋并宝玉通灵玉上的穗子。原来晾衣服时，从箱中检出，紫鹃恐怕遗失了，遂夹在这毡包里的。

这黛玉不看则已，看了时，也不说穿那一件衣服，手里只拿着那两方手帕，呆呆的看那旧诗；看了一回，不觉得簌簌泪下。紫鹃刚从外间进来，只见雪雁正捧着一毡包衣裳，在傍边呆立。小几上却搁着剪破的香囊和两三截儿扇袋和那铰拆了的穗子；黛玉手中自拿着两方旧帕，上边写着字迹，在那里对着滴泪。正是：

失意人逢失意事，新啼痕间旧啼痕。（这句对得不工。若改为『倦意人思失意事，新啼痕间旧啼痕』或『失意人逢无意事』，不知可否？）

紫鹃见了这样，知是他触物伤情，感怀旧事，料道劝也无益，只得笑着道：『姑娘，还看那些东西作什么？那都是那几年宝二爷和姑娘小时，一时好了，一时恼了，闹出来的笑话儿。要像如今这样斯抬斯敬，那里能把这些东西白遭塌了呢？』紫鹃这话原给黛玉开心，不料这几句话更提起黛玉初来时和宝玉的旧事来，一发珠泪连绵起来。紫鹃又劝道：『雪雁这里等着呢，姑娘披上一件罢。』那黛玉才把手帕撂下，紫鹃连忙拾起，将香袋等物包起拿开。这黛玉方披了一件皮衣，自己闷闷的走到外间来坐下。回头看见案上宝钗的诗启尚未收好，又拿出来瞧了两遍，叹道：『境遇不同，伤心则一。不免也赋四章，翻入琴谱，可弹可歌，明日写出来寄去，以当和作。』便叫雪雁将外边桌上笔砚拿来，濡墨挥毫，赋成四叠。又将琴谱翻出，借他《猗兰》《思贤》两操，合成音韵。与自己做的配齐了，然后写出，以备送与宝钗，又即叫雪雁向箱中将自己带来的短琴拿出，调上弦，又操演了指法。黛玉本是个绝顶聪明人，又在南边学过几时，虽是手生，到底一理就熟。抚了一番，夜已深了，便叫紫鹃收拾睡觉，不题。（黛玉本是雅女，再抚一回琴，更雅了。）

（续作凡写到黛玉处，都比别处略好。黛玉才情，保佑高老夫子！）

却说宝玉这日起来，梳洗了，带着焙茗正往书房中来，只见墨雨笑嘻嘻的跑来，迎头说道：『二爷，今日便宜了！太爷不在书房里，都放了学了。』宝玉道：『当真的么？』墨雨道：『二爷不信，那不是三爷和兰哥儿来了？』宝玉看时，只见贾环贾兰跟着小厮们，两个笑嘻嘻的，嘴里咭咭呱呱，不知说些什么，迎头来了，见了宝玉都垂手站住。（长幼有序，规矩很多。）宝玉问道：『你们两个怎么就回来了？』贾环道：『今日太爷有事，说是放一天学，明儿再去呢。』宝玉听了，方回身到贾母贾政处去禀明了，然后回到怡红院中。袭人问道：『怎么又回来了？』宝玉告诉了他，只坐了一坐儿，便往外走，袭人道：『往那里去，这样忙法？就放了学，依我说，也该养养神儿了。』宝玉站住脚，低了头，说道：『你的话也是，但是好容易放一天学，还不散散去？你也该可怜我些儿了。』袭人见说的可怜，笑道：『由爷去罢。』（这一段纯属水分。）

正说着，端了饭来。宝玉也没法儿，只得且吃饭。三口两口，忙忙的吃完，漱了口，一溜烟往黛玉房中去了。（各方对宝玉婚事日益瞩目，趋向宝钗日益明确，宝玉心向黛玉日益坚决，能不人生长恨水长东乎？）走到门口，只见雪雁在院中晾绢子呢。宝玉因问：『姑娘吃了饭了么？』雪雁道：『早起喝了半碗粥，懒待吃饭，这时候打盹儿呢。二爷且到别处走走，回来再来罢。』

宝玉只得回来。无处可去，忽然想起惜春有好几天没见，便信步走到蓼风轩来。刚到窗下，只见静悄悄一无人声；宝玉打谅他也睡午觉，不便进去。才要走时，只听屋里微微一响，不知何声；宝玉站住再听，半日，又『啪』的一响。宝玉还未听出，只见一个人道：『你在这里下了一个子儿，那里你不应么？』宝玉方知是下大棋。但只急切听不出这个人的语音是谁。底下方听见惜春道：『怕什么？你这么一吃我，我这么一应，你又这么吃，我又这么应：还缓着一着儿呢，终久连得上。』那一个又道：『我要这么一吃呢？』惜春道：『阿嘎！还有一着反扑在里头呢，我倒没防备。』（琴棋书画无所不有，诗词歌赋无所不通。）宝玉听了听，那一个声音很熟，却不是他们姊妹。料着惜春屋里也没外人，轻轻的掀帘进去，看时，不是别人，却是那栊翠庵的『槛外人』妙玉。这宝玉见是妙玉，不敢惊动。妙玉和惜春正在凝思之际，也没理会。宝玉却站在旁边，看他两个的手段。只见妙玉低着头，问惜春道：『你这个畸角儿不要了么？』惜春道：『怎么不要？你那里头都是死子儿，我怕什么？』妙玉道：『且别说满话，试试看。』惜春道：『我便打了起来，看你怎么样。』妙玉却微微笑着，把边上子一接，却搭转一吃，把惜春的一个角儿都打起来了，笑着说道：『这叫做「倒脱靴势」。』（妙玉与惜春弈棋，叫做棋逢对手；宝钗将新作给黛玉，叫做文遇良材。）

惜春尚未答言，宝玉在旁，情不自禁，哈哈一笑。把两个人都唬了一大跳。惜春道：『你这是怎么说？进来也不言语。这么使促狭唬人。你多早晚进来的？』宝玉道：『我头里就进来了，看着你们两个争这个畸角儿。』说着，一面与妙玉施礼，一面又笑问道：『妙公轻易不出禅关，今日何缘下凡一走？』妙玉听了，忽然把脸一红，（一红。）也不答言，低了头，自看那棋。宝玉自觉造次，连忙陪笑道：『倒是出家人比不得我们在家的俗人。头一件，心是静的。静则灵，灵则慧……』宝玉尚未说完，只见妙玉微微的把眼一抬，看了宝玉一眼，复又低下头去，那脸上的颜色渐渐的红晕起来。（二红。）宝玉见他不理，只得讪讪的旁边坐了。惜春还要下子，妙玉半日说道：『再下罢。』便起身理理衣裳，重新坐下，痴痴的问着宝玉道：『你从何处来？』宝玉巴不得这一声，好解释前头的话，忽又想道：『或是妙玉的机锋。』转红了脸，答应不出来。妙玉微微一笑，自合惜春说话。惜春也笑道：『二哥哥，这什么难答的？你没的听见人家常说的，「从来处来」么？（「从来处来」其实是同义反复，是嘛也没说。与答不出来并无区别。）这也值得把脸红了，见了生人的是的。』妙玉听了这话，想起自家，心上一动，脸上一热，必然也是红的，（三红。短短几行而妙玉的脸凡三红之。未免直露了些。）倒觉不好意思起来。因站起来说道：『我来得久了，要回庵里去了。』惜春知妙玉为人，也不深留，送出门口。妙玉笑道：『久已不来，这里弯弯曲曲的，回去的路头都要迷住了。』宝玉道：『这倒要我来指引指引，何如？』妙玉道：『不敢，二爷前请。』（语带禅机。这些情节的设计——钓鱼、作赋、抚琴、饮粥、弈棋都很不差，既是延伸，又是补充，既合理，又谐调。）

于是二人别了惜春，离了蓼风轩，弯弯曲曲，走近潇湘馆，忽听得叮咚之声。妙玉道：『那里的琴声？』宝玉道：『想必是林妹妹那里抚琴呢。』妙玉道：『原来他也会这个？怎么素日不听见提起？』宝玉悉把黛玉的事述了一遍，因说：『咱们去看他。』妙玉道：『从古只有听琴，再没有看琴的。』宝玉笑道：『我原说我是个俗人。』说着，二人走至潇湘馆外，在山子石坐着静听，甚觉音调清切。只听得低吟道：

风萧萧兮秋气深，美人千里兮独沉吟。
望故乡兮何处？倚栏杆兮涕沾襟。

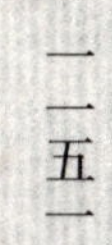

歇了一回，听得又吟道：

山迢迢兮水长，照轩窗兮明月光。
耿耿不寐兮银河渺茫，罗衫怯怯兮风露凉。

又歇了一歇，妙玉道：『刚才「侵」字韵是第一叠，如今「扬」字韵是第二叠了。咱们再听。』里边又吟道：

子之遭兮不自由，予之遇兮多烦忧。（『不自由』的抱怨，『红』已有之。不自由毋宁死的心气，『红』已有了吗？）
之子与我兮心焉相投，思古人兮俾无尤。

妙玉道：『这又是一拍。何忧思之深也！』宝玉道：『我虽不懂得，但听他音啊，也觉得过悲了。』里头又调了一回弦。妙玉道：『君弦太高了，与无射律只怕不配呢。』里边又吟道：

人生斯世兮如轻尘，天上人间兮感夙因。
感夙因兮不可惙，素心如何天上月。

妙玉听了，呀然失色道：『如何忽作变徵之声？音韵可裂金石矣，只是太过。』宝玉道：『太过便怎么？』妙玉道：『恐不能持久。』正议论时，听得君弦『硼』的一声断了。妙玉站起来，连忙就走。宝玉道：『怎么样？』妙玉道：『日后自知，你也不必多说。』（写抚琴不若写听琴；写宝玉听琴不若写宝玉与妙玉共同听琴；宝玉是情的知音，妙玉是琴的知音；三个两两互补。）竟自走了。弄得宝玉满肚疑团，没精打采的，归至怡红院中，不表。（戛然而止，不得尽兴，不得圆满，正是写得好处。）

（人物结局特别是出人意料的结局，很难写。出性格难。长篇小说已写了七成，人物性格已经产生了『惯性』，扭一下，不易。妙玉如此孤高，这一回要写她脸红、胡思乱想、走火入魔，就有些生硬。恐不能只责续作，前八十回留下的可能性太少了。（只有宝玉生日，妙玉致帖祝贺一节略有消息。））

单说妙玉归去，早有道婆接着，掩了庵门，坐了一回，把『禅门日诵』念了一遍。（追光跟上妙玉，构成视角变化，结构主体。）吃了晚饭，点上香拜了菩萨，命道婆自去歇着，自己的禅床靠背俱已整齐，屏息垂帘，跏趺坐下，断除妄想，趋向真如。坐到三更过后，听得屋上『喀喽』一片响声，妙玉恐有贼来，下了禅床，出到前轩，但见云影横空，月华如水。那时天气尚不很凉，独自一个，凭栏站了一回，忽听房上两个猫儿一递一声厮叫。（又是铺垫，预兆预告。这也是弗洛伊德。）

那妙玉忽想起日间宝玉之言，不觉一阵心跳耳热，自己连忙收摄心神，走进禅房，仍到禅床上坐了。（宝玉日间并无什么言，是妙姑自己的问题。）怎奈神不守舍，一时如万马奔驰，觉得禅床便恍荡起来，身子已不在庵中。便有许多王孙公子，要来娶他，又有些媒婆，扯扯拽拽，扶他上车，自己不肯去。一回儿，又有盗贼劫他，持刀执棍的逼勒，只得哭喊求救。（这些描写完全符合弗洛伊德理论。）早惊醒了庵中女尼道婆等众，都拿火来照看，只见妙玉两手撒开，口中流沫。急叫醒时，只见眼睛直竖，两颧鲜红，骂道：『我是有菩萨保佑，你们这些强徒敢要怎么样？』众人都唬的没了主意，都说道：『我们在这里呢，快醒转来罢。』妙玉道：『我要回家去！你们有什么好人，送我回去罢。』道婆道：『这里就是你住的房子。』说着，又叫别的女尼忙向观音前祷告。求了签，翻开签书看时，是触犯了西南角上的阴人。就有一个说：『是了，大观园中西南角上本来没有人住，阴气是有的。』一面弄汤弄水的在那里忙乱。那女尼原是自南边带来的，伏侍妙玉，自然比别人尽心，围着妙玉坐在禅床上。妙玉回头道：『你是谁？』女尼道：『是我。』妙玉仔细瞧了一瞧道：『原来是你。』便抱住那女尼，呜呜咽咽的哭起来，说道：『你是我的妈呀，你不救我，我不得活了。』（属于癔症。）那女尼一面唤醒他，一面给他揉着。道婆倒上茶来喝了，直到天明才睡了。女尼便打发人去请大夫来看脉。也有说是思虑伤脾的，也有说是热入血室的，也有说是邪祟触犯的，也有说是内外感冒的，终无定论。后请得一个大夫来看了，问：『曾打坐过没有？』道婆说道：『向来打坐的。』大夫道：『这病可是昨夜忽然来的么？』道婆道：『是。』大夫道：『这是走魔入火的原故。』（现称『走火入魔』。当今练气功、鹤翔桩者亦有发生此类情况者。）众人问：『有碍没有？』大夫道：『幸亏打坐不久，魔还入得浅，可以有救。』写了降伏心火的药，吃了一剂，稍稍平复些。外面那些游头浪子听见了，便造作许多谣言，说：『这样年纪，那里忍得住？况且又是很风流的人品，很乖觉的性灵。以后不知飞在谁手里，便宜谁去呢。』过了几日，妙玉病虽略好，神思未复，终有些恍惚。

一日，惜春正坐着，彩屏忽然进来，回道：『姑娘知道妙玉师父的事吗？』惜春道：『他有什么事？』彩屏道：『我昨日听见邢姑娘和大奶奶那里说呢：他自从那日合姑娘下棋回去，夜间忽然中了邪，嘴里乱嚷，说强盗来抢他来了。到如今还没好。姑娘，你说这不是奇事吗？』惜春听了，默默无语。因想：『妙玉虽然洁净，毕竟尘缘未断。（一语道破，却嫌直露了。）可惜我生在这种人家，不便出家。我若出了家时，那有邪魔缠扰？一念不生，万缘俱寂。』想到这里，蓦与神会，若有所得，便口占一偈云：

　　大造本无方，云何是应住？
　　既从空中来，应向空中去。（从空中来，到空中去，应无问题。问题是来去中间这一段，空不了，怎么办呢？）

占毕，即命丫头焚香。自己静坐了一回，又翻开那棋谱来，把孔融、王积薪等所著看了几篇。内中『荷叶包蟹势』『黄莺搏兔势』，都不出奇；『三十六局杀角势』，一时也难会难记；独看到『八龙走马』，觉得甚有意思。正在那里作想，只听见外面一个人走进院来，连叫：『彩屏！』未知是谁，下回分解。

（有所怀念，有所补充，有所发展（如妙玉的瘾症），有所重复，渐渐向收官走去，能不惨然？）

第八十八回　博庭欢宝玉赞孤儿　正家法贾珍鞭悍仆

却说惜春正在那里揣摩棋谱，忽听院内有人叫彩屏，不是别人，却是鸳鸯的声儿。彩屏出去，同着鸳鸯进来。那鸳鸯却带着一个小丫头，提了一个小黄绢包儿。惜春笑问道：『什么事？』鸳鸯道：『老太太因明年八十一岁，是个「暗九」，许下一场九昼夜的功德，发心要写三千六百五十零一部《金刚经》。（$\sqrt{81}$与9^2。3651=? 反映古人的数字观念与数字迷信，直到数学学问。）这已发出外面人写了。但是俗说：《金刚经》就像那道家的符壳，《心经》才算是符胆，故此，《金刚经》内必要插着《心经》，更有功德。老太太因《心经》是更要紧的，观自在又是女菩萨，所以要几个亲丁奶奶姑娘们写上三百六十五部。（运与数紧密相连，数的抽象性似含神意。）如此，又虔诚，又洁净。咱

们家中，除了二奶奶，头一宗，他当家没有空儿；二宗，他也写不上来。其余会写字的，不论写得多少，连东府珍大奶奶姨娘们都分了去。本家里头自不用说。』惜春听了，点头道：『别的我做不来，若要写经，我最信心的。你搁下，喝茶罢。』鸳鸯才将那小包儿搁在桌上，同惜春坐下。（续作在横向发展，填补空白方面，进展得很自觉也很迅速。继八股文、占卜、操琴、博弈之后，迅速又讲起写经来了。唯似略嫌俗了些。）

彩屏倒了一钟茶来。惜春笑问道：『你写不写？』鸳鸯道：『姑娘又说笑话了。那几年还好；这三四年来，姑娘见我还拿了拿笔儿么？』惜春道：『这却是有功德的。』鸳鸯道：『我也有一件事：向来伏侍老太太安歇后，自己念上米佛，已经念了三年多了。我把这个米收好，等老太太做功德的时候，我将他衬在里头，供佛施食，也是我一点诚心。』惜春道：『这样说来，老太太做了观音，你就是龙女了。』鸳鸯道：『那里跟得上这个分儿？却是除了老太太，别的也服侍不来，不晓得前世什么缘分儿。』说着要走，叫小丫头把小绢包打开，拿出来道：『这素纸一扎，是写《心经》的。』又拿起一子儿藏香，道：『这是叫写经时点着写的。』（可见当时佛教生活一斑。）惜春都应了。

鸳鸯遂辞了出来，同小丫头来至贾母房中，回了一遍，看见贾母与李纨打双陆，鸳鸯旁边瞧着。李纨的骰子好，掷下去，把老太太的锤打下了好几个去，鸳鸯抿着嘴儿笑。

忽见宝玉进来，手中提了两个细篾丝的小笼子，笼内有几个蝈蝈儿，说道：『我听说老太太夜里睡不着，我给老太太留下解解闷。』贾母笑道：『你别瞅着你老子不在家，你只管淘气。』宝玉笑道：『我没有淘气。』贾母道：

『你没淘气，不在学房里念书，为什么又弄这个东西呢？』宝玉道：『不是我自己弄的。今儿因师父叫环儿和兰儿对对子，环儿对不来，我悄悄的告诉了他。他说了，师父喜欢，夸了他两句。他感激我的情，买了来孝敬我的。我才拿了来孝敬老太太的。』贾母道：『他没有天天念书么？为什么对不上来？对不上来，就叫你儒大爷打他的嘴巴子，看他臊不臊！你也彀受了。不记得你老子在家时，一叫做诗做词，唬的倒像个小鬼儿是的？这会子又说嘴了。那环儿小子更没出息：求人替做了，就变着方法儿打点人。这么点子孩子，就闹鬼闹神的，也不害臊。赶大了，还不知是个什么东西呢！』（祖母这样说话，未免不得体。但也难说，老太太倾向性历来很强。）说的满屋子人都笑了。贾母又问道：『兰小子呢，做上来了没有？这该环儿替他了，他又比他小了，是不是？』宝玉笑道：『他倒没有，却是自己对的。』贾母道：『我不信，不然，就也是你闹了鬼了。如今你还了得，「羊群里跑出骆驼来了」，就只你大，你又会做文章了！』宝玉笑道：『实在是他作的，师父还夸他明儿一定有大出息呢。老太太不信，就打发人叫了他来亲自试试，老太太就知道了。』贾母道：『果然这么着，我才喜欢。我不过怕你撒谎。（怕人撒谎就激将一番，这种做法本身就不老实。）既是他做的，这孩子明儿大概还有一点儿出息。』因看着李纨，又想起贾珠来，『这也不枉你大哥哥死了你大嫂子拉扯他一场，日后也替你大哥哥顶门壮户。』（重视血缘关系，把个人看成整个血缘遗传链条中一个承上启下的环节，个人要为『链条』服务，要服从于『链条』的需要。）说到这里，不禁流下泪来。

适当把读者的注意力往环、兰身上引一引，是为了安排后事。小说作者就像上帝，他得安排一切。

李纨听了这话，却也动心，只是贾母已经伤心，自己连忙忍住泪，笑劝道：『这是老祖宗的余德，我们托着

老祖宗的福罢咧。只要他应得了老祖宗的话，就是我们的造化了。老祖宗看着也喜欢，怎么倒伤起心来呢？』因又回头向宝玉道：『宝叔叔明儿别这么夸他，他多大孩子，知道什么？你不过是爱惜他的意思，他那里懂得，一来二去，眼大心肥，那里还能彀有长进呢。』贾母道：『你嫂子这也说的是。就只他还太小呢，也别逼紧了他；小孩子胆儿小，一时逼急了，弄出点子毛病来，书倒念不成，把你的工夫都白遭塌了。』（这话多次用在宝玉身上。）贾母说到这里，李纨却忍不住，扑簌簌掉下泪来，连忙擦了。

只见贾环贾兰也都进来给贾母请了安。贾兰又见过他母亲，然后过来，在贾母傍边侍立。贾母道：『我刚才听见你叔叔说你对的好对子，师父夸你来着。』贾兰也不言语，只管抿着嘴儿笑。鸳鸯过来说道：『请示老太太，晚饭伺候下了。』贾母道：『请你姨太太去罢。』琥珀接着便叫人去王夫人那边请薛姨妈。（贾兰经常和贾环在一起，但二人殊非同路。看来近朱者也可以黑，近墨者也可以赤。）

这里宝玉贾环退出，素云和小丫头们过来把双陆收起，李纨尚等着伺候贾母的晚饭。贾兰便跟着他母亲站着。贾母道：『你们娘儿两个跟着我吃罢。』李纨答应了。一时，摆上饭来，丫鬟回来禀道：『太太叫回老太太：姨太太这几天浮来暂去，不能过来回老太太，今日饭后家去了。』于是贾母叫贾兰在身傍边坐下，大家吃饭，不必细述。（全部过场。）

却说贾母刚吃完了饭，盥漱了，歪在床上，说闲话儿。只见小丫头子告诉琥珀，琥珀过来回贾母道：『东府大爷请晚安来了。』贾母道：『你们告诉他，如今他办理家务乏乏的，叫他歇着去罢。我知道了。』（对贾珍亦无

多大兴趣。）小丫头告诉老婆子们，老婆子才告诉贾珍，贾珍然后退出。

到了次日，贾珍过来料理诸事。门上小厮陆续回了几件事。又一个小厮回道：『庄头送果子来了。』贾珍道：『单子呢？』那小厮连忙呈上。贾珍看时，上面写着不过是时鲜果品，还夹带菜蔬野味若干在内。贾珍看完，问：『向来经管的是谁？』门上的回道：『是周瑞。』便叫周瑞：『照账点清，送往里头交代。等我把来账抄下一个底子，留着好对。』又叫：『告诉厨房，把下菜中添几宗，给送果子的来人，照常赏饭给钱。』（可参照五十三回，照虎画猫，支应而已。）

周瑞答应了，一面叫人搬至凤姐儿院子里去，又把庄上的账和果子交代明白，出去了。一回儿，又进来回贾珍道：『才刚来的果子，大爷曾点过数目没有？』贾珍道：『我那里有工夫点这个呢？给了你账，你照账点就是了。』周瑞道：『小的曾点过，也没有少，也不能多出来。大爷既留下底子，再叫送果子来的人问问他，这账是真的假的。』贾珍道：『这是怎么说？不过是几个果子罢咧，有什么要紧？我又没有疑你。』说着，只见鲍二走来磕了一个头，说道：『求大爷原旧放小的在外头伺候罢。』贾珍道：『你们这又是怎么着？』鲍二道：『奴才在这里又说不上话来。』贾珍道：『谁叫你说话？』鲍二道：『何苦来，在这里作眼睛珠儿。』周瑞接口道：『奴才在这里经管地租庄子银钱出入，每年也有三五十万来往，老爷太太奶奶们从没有说过话的，何况这些零星东西。若照鲍二说起来，爷们家里的田地房产都被奴才们弄完了。』贾珍想道：『必是鲍二在这里拌嘴，不如叫他出去。』因向鲍二说道：『快滚罢！』又告诉周瑞说：『你也不用说了，你干你的事罢。』二人各自散了。（鲍二似是贾琏的人，周瑞家的则是凤姐干将。这二人的矛盾有无『线』的背景？）

贾珍正在厢房里歇着，听见门上闹的翻江搅海，叫人去查问，回来说道：『鲍二和周瑞的干儿子打架。』贾珍道：『周瑞的干儿子是谁？』门上的回道：『他叫何三，本来是个没味儿的，天天在家里喝酒闹事，常来门上坐着。听见鲍二和周瑞拌嘴，他就插在里头。』贾珍道：『这却可恶！把鲍二和那个什么何几给我一块儿捆起来！周瑞呢？』门上的回道：『打架时，他先走了。』贾珍道：『给我拿了来！这还了得了！』众人答应了。（翻江搅海，令人想起赵姨娘与芳官之战。）

正嚷着，贾琏也回来了，贾珍便告诉了一遍。贾琏道：『这还了得！』又添了人去拿周瑞。周瑞知道躲不过，也找到了。贾珍便叫：『都捆上！』贾琏便向周瑞道：『你们前头的话也不要紧，大爷说开了很是了，为什么外头又打架？你们打架已经使不得，又弄个野杂种什么何三来闹。你不压伏压伏他们，倒竟走了。』就把周瑞踢了几脚。贾珍道：『单打周瑞不中用。』（内有许多黑幕，供读者猜测。）喝命人把鲍二和何三各人打了五十鞭子，撵了出去，方和贾琏两个商量正事。下人背地里便生出许多议论来：也有说贾珍护短的；也有说不会调停的；也有说他本不是好人，前儿尤家姐妹弄出许多丑事来，那鲍二不是他调停着二爷叫了来的吗？这会子又嫌鲍二不济事，必是鲍二的女人伏侍不到了。人多嘴杂，纷纷不一。（腐烂、衰败、分裂、混乱的因素也是多元的，叫做四面阴风，八方鬼火。）

却说贾政自从在工部掌印，家人中尽有发财的。那贾芸听见了，也要插手弄一点事儿，便在外头说了几个工头，讲了成数，便买了些时新绣货，要走凤姐儿门子。（又一条毒蛇活动上了。）

凤姐正在房中，听见丫头们说：『大爷二爷都生了气，在外头对打人呢。』凤姐听了，不知何故。正要叫人去问问，只见贾琏已进来了，把外面的事告诉了一遍。凤姐道：『事情虽不要紧，但这风俗儿断不可长。此刻还算咱们家里正旺的时候儿，（其实已经不是『正旺』了。）他们就敢打架，已后小辈儿们当了家，他们越发难制伏了。前年我在东府里亲眼见过焦大吃的烂醉，躺在台阶子底下骂人，不管上上下下，一混汤子的混骂。（回忆焦大，就是回忆宁府的腐烂肮脏。）他虽是有过功的人，倒底主子奴才的名分，也要存点儿体统才好。珍大奶奶，不是我说，是个老实头，个个人都叫他养得无法无天的。如今又弄出一个什么鲍二。我还听见是你和珍大爷得用的人，为什么今儿又打他呢？』贾琏听了这话刺心，便觉赸赸的，拿话来支开，借有事，说着就走了。（回味鲍二家的被逼上吊的故事与尤二姐的故事。）

小红进来回道：『芸二爷在外头要见奶奶。』凤姐一想：『他又来做什么？』便道：『叫他进来罢。』小红出来，瞅着贾芸微微一笑。贾芸赶忙凑近一步，问道：『姑娘替我回了没有？』小红红了脸，说道：『我就是见二爷的事多！』贾芸道：『何曾有多少事能到里头来劳动姑娘呢？就是那一年姑娘在宝二叔房里，我才和姑娘……』小红怕人撞见，不等说完，赶忙问道：『那年我换给二爷的一块绢子，二爷见了没有？』那贾芸听了这句话，喜的心花俱开，才要说话，只见一个小丫头从里面出来，贾芸连忙同着小红往里走。两个人一左一右，相离不远。贾芸悄悄的道：『回来我出来，还是你送出我来。我告诉你，还有笑话儿呢。』小红听了，把脸飞红，瞅了贾芸一眼，也不答言。同他到了凤姐门口，自己先进去回了，然后出来，掀起帘子，点手儿，口中却故意说道：『奶奶请芸二爷进来呢。』（前面的伏笔，后一直没有下文。现写到，给人以前面欠了账，后面慢慢还的感觉。）

贾芸笑了一笑，跟着他走进房来，见了凤姐儿，请了安，并说：『母亲叫问好。』凤姐也问了他母亲好。凤姐道：『你来有什么事？』贾芸道：『侄儿从前承婶娘疼爱，心上时刻想着，总过意不去。欲要孝敬婶娘，又怕婶娘多想。如今重阳时候，略备了一点儿东西。婶娘这里那一件没有？不过是侄儿一点孝心。只怕婶娘不肯赏脸。』凤姐儿笑道：『有话坐下说。』贾芸才侧身坐了，连忙将东西捧着搁在傍边桌上。凤姐又道：『你不是什么有余的人，何苦又去花钱？我又不等着使。你今日来意，是怎么个想头儿，你倒是实说。』（凤姐倒是实在，她的性格也是喜人趋奉，并为趋奉者办事。属于顺我者昌，逆我者亡一流。）贾芸道：『并没有别的想头儿，不过感念婶娘的恩惠，过意不去罢咧。』说着，微微的笑了。凤姐道：『不是这么说。你手里窄，我很知道，我何苦白白儿使你的？你要我收下这个东西，须先和我说明白了。要是这么「含着骨头露着肉」的，我倒不收。』（符合凤姐脾气。快人快语。）

贾芸没法儿，只得站起来，陪着笑儿说道：『并不是有什么妄想：前几日听见老爷总办陵工，侄儿有几个朋友办过好些工程，极妥当的，要求婶娘在老爷跟前提一提。办得一两种，侄儿再忘不了婶娘的恩典！若是家里用得着侄儿，也能给婶娘出力。』（搞建筑，有油水。『老爷』那里，显然已被各种猫儿腻包围。）凤姐道：『若是别的，我却可以作主。至于衙门里的事，上头呢，都是堂官司员定的；底下呢，都是那些书办衙役们办的，别人只怕插不上手，连自己的家人也不过跟着老爷伏侍伏侍。就是你二叔去，亦只是为的是各自家里的事，他也并不能搀越公事。论家事，这里是踩一头儿撬一头儿的，连珍大爷还弹压不住。你的年纪儿又轻，辈数儿又小，那里缠的清这些人呢？

况且衙门里头的事差不多儿也要完了，不过吃饭瞎跑。你在家里什么事作不得，难道没了这碗饭吃不成？我这是实在话，你自己回去想想就知道了。你的情意，我已经领了，把东西快拿回去，是那里弄来的，仍旧给人家送了去罢。』（这些对话写得都过得去。）

正说着，只见奶妈子一大起带了巧姐儿进来。那巧姐儿身上穿得锦团花簇，手里拿着好些顽意儿，笑嘻嘻走到凤姐身边学舌。贾芸一见，便站起来，笑盈盈的赶着说道：『这就是大妹妹么？你要什么好东西不要？』那巧姐儿便『哑』的一声哭了。贾芸连忙退下。凤姐道：『乖乖不怕。』连忙将巧姐揽在怀里，道：『这是你芸大哥哥，怎么认起生来了？』贾芸道：『妹妹生得好相貌，将来又是个有大造化的。』那巧姐儿回头把贾芸一瞧，又哭起来，叠连几次。（预示预告，贾芸心术不正，将有大害于巧姐。）

贾芸看这光景坐不住，便起身告辞要走。凤姐道：『你把东西带了去罢。』贾芸道：『这一点子，婶娘还不赏脸？』凤姐道：『你不带去，我便叫人送到你家去。芸哥儿，你不要这么样。你又不是外人，我这里有机会，少不得打发人去叫你；没有事也没法儿，不在乎这些东东西西上的。』贾芸看见凤姐执意不受，只得红着脸道：『既这么着，我再找得用的东西来孝敬婶娘罢。』凤姐儿便叫小红拿了东西，跟着贾芸送出来。（凤姐处理贾芸送礼事相当漂亮、利索，可为今人处理类似事情的参考。）

贾芸走着，一面心中想道：『人说二奶奶利害，果然利害。一点儿都不漏缝，真正斩钉截铁！怪不得没有后世。这巧姐儿更怪，见了我好像前世的冤家是的，真正晦气。白闹了这么一天。』小红见贾芸没得彩头，也不高兴，

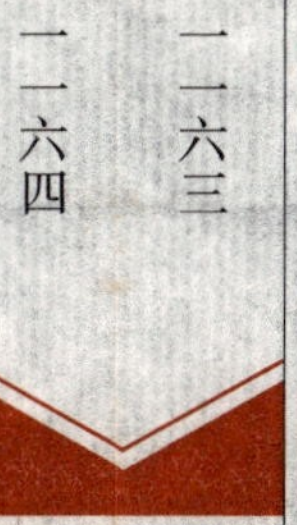

拿着东西跟出来。贾芸接过来，打开包儿，拣了两件，悄悄的递给小红。小红不接，嘴里说道：『二爷别这么着。看奶奶知道了，大家倒不好看。』贾芸道：『你好生收着罢。怕什么，那里就知道了呢？你若不要，就是瞧不起我了。』小红微微一笑，才接过来，说道：『谁要你这些东西！算什么呢？』说了这句话，把脸又飞红了。贾芸也笑道：『我也不是为东西。况且那东西也算不了什么。』说着话儿，两个已走到二门口。贾芸把下剩的仍旧揣在怀内。小红催着贾芸道：『你先去罢。有什么事情，只管来找我。我如今在这院里了，又不隔手。』贾芸点点头儿，说道：『二奶奶太利害，我可惜不能长来！刚才我说的话，你横竖心里明白，得了空儿，再告诉你罢。』小红满脸羞红，说道：『你去罢。明儿也长来走走。谁叫你和他生疏呢？』贾芸道：『知道了。』贾芸说着，出了院门。这里小红站在门口，怔怔的看他去远了，才回来了。（第二十七回，宝钗误听到小红与贾芸事时，已想到『奸淫狗盗』『刁钻古怪』『眼空心大』等语，显然，作者是把小红与贾芸作为不安定因素来写的。）

却说凤姐在房中吩咐预备晚饭，因又问道：『你们熬了粥了没有？』（频频谈粥。）丫鬟们连忙去问，回来回道：『预备了。』凤姐道：『你们把那南边来的糟东西弄一两碟来罢。』秋桐答应了，叫丫头们伺候。平儿走来笑道：『我倒忘了：今儿晌午，奶奶在上头老太太那边的时候，水月庵的师父打发人来，要向奶奶讨两瓶南小菜，还要支用几个月的月钱，说是身上不受用。我问那道婆来着：「师父怎么不受用？」他说：「四五天了。前儿夜里，因那些小沙弥小道士里头有几个女孩子，睡觉没有吹灯，他说了几次不听。那一夜，看见他们三更以后灯还点着呢，他便叫他们吹灯，个个都睡着了，没有人答应，只得自己亲自起来给他们吹灭了。回到炕上，只见有两个人，

一男一女，坐在炕上。（果然处处是奸淫狗盗。）他赶着问是谁，那里把一根绳子往他脖子上一套，他便叫起人来。众人听见，点上灯火，一齐赶来，已经躺在地下，满口吐白沫子。幸亏救醒了。此时还不能吃东西，所以叫来寻些小菜儿的。」我因奶奶不在房中，不便给他。我说：「奶奶此时没有空儿，在上头呢，回来告诉。」便打发他回去了。才刚听见说起南菜，方想起来了，不然，就忘了。」（描写日常生活的小说，倒真成了日常闲篇了。）凤姐听了，呆了一呆，说道：「南菜不是还有呢，叫人送些去就是了。那银子，过一天叫芹哥来领就是了。」（贾芸邪恶，贾芹亦是一路货。各路邪货泛起，渐渐积成压顶乌云。）又见小红进来回道：「才刚二爷差人来，说是今晚城外有事，不能回来，先通知一声。」凤姐道：「是了。」

说着，只听见小丫头从后面喘吁吁的嚷着，直跑到院子里来。外面平儿接着，还有几个丫头们，咕咕唧唧的说话。凤姐道：「你们说什么呢？」平儿道：「小丫头子有些胆怯，说鬼话。」凤姐说：「那一个？」小丫头进来。问道：「什么鬼话？」那丫头道：「我才刚到后边去叫打杂儿的添煤，只听得三间空屋子里「哗喇哗喇」的响，我还道是猫儿耗子；又听得「嗳」的一声，像个人出气儿的是的。我害怕，就跑回来了。」凤姐骂道：「胡说！我这里断不兴说神说鬼。我从来不信这些个话，快滚出去罢！」（凤姐坚持无神论，弄权铁槛寺时已表白过。）那小丫头出去了。

凤姐便叫彩明将一天零碎日用账对过一遍。时已将近二更，大家又歇了一回，略说些闲话，遂叫各人安歇去罢。凤姐也睡下了。将近三更，凤姐似睡不睡，觉得身上寒毛一乍，自己惊醒了，越躺着越发起疹来，因叫平儿秋桐过来作伴。（国之将亡，必有妖孽；家之将败，必有狐鬼。亡败是客观趋势，心惊肉跳是主观反映，心惊肉跳便会幻视幻听，出现各种神秘恐怖现象。呜呼，贾府无宁日矣。）二人也不解何意。那秋桐本来不顺凤姐，后来贾琏因尤二姐之事，不大爱惜他了，凤姐又笼络他，如今倒也安静，只是心里比平儿差多了，外面情儿。今见凤姐不受用，只得端上茶来。凤姐喝了一口道：「难为你，睡去罢，只留平儿在这里就彀了。」秋桐却要献勤儿，因说道：「奶奶睡不着，倒是我们两个轮流坐坐也使得。」凤姐一面说，一面睡着了。平儿秋桐看见凤姐已睡，只听得远远的鸡声叫了，二人方都穿着衣服略躺了一躺，就天亮了，连忙起来伏侍凤姐梳洗。

凤姐因夜中之事，心神恍惚不宁，只是一味要强，仍然扎挣起来。正坐着纳闷，忽听个小丫头子在院里问道：「平姑娘在屋里么？」平儿答应了一声。那小丫头掀起帘子进来，却是王夫人打发过来来找贾琏，说：「外头有人回要紧的官事。老爷才出了门，太太叫快请二爷过去呢。」凤姐听见，唬了一跳。未知何事，下回分解。（紧张、不安，直至恐怖，崩溃的心情，倒是好小说材料。）

赞孤儿平平泛泛。鞭悍仆写得尚好，虽不细腻。续作人物语言能写到这个样子已属奇迹。生活细节水分多，过场多。

大势已去，沉渣泛起。

王熙凤当然无德，但是凤最红火的时候恰是贾府鲜花着锦、烈火烹油之日，凤心劳日拙之时也就是贾府走下坡路之时。

第八十九回　人亡物在公子填词　蛇影杯弓颦卿绝粒

却说凤姐正自起来纳闷，忽听见小丫头这话，又唬了一跳，连忙问道：『什么官事？』小丫头道：『也不知道。刚才二门上小厮回进来，回老爷有要紧的官事，所以太太叫我请二爷来了。』凤姐听是工部里的事，才把心略略的放下。因说道：『你回去回太太，就说二爷昨日晚上出城有事，没有回来，打发人先回珍大爷去罢。』那丫头答应着去了。（虚惊几次，最后变成真正的灾难。这是『红』常用的手法。这也是一种生活经验。虚惊表现的是灾难的可能性，灾难则是这种可能性的终于变成现实性。）

一时，贾珍过来，见了部里的人，问明了，进来见了王夫人，回道：『部中来报：昨日总河奏到，河南一带决了河口，湮没了几府州县。又要开销国帑，修理城工。工部司官又有一番照料，所以部里特来报知老爷的。』说完退出。及贾政回家来，回明。从此，直到冬间，贾政天天有事，常在衙门里。宝玉的工课也渐渐松了，只是怕贾政觉察出来，不敢不常在学房里去念书，连黛玉处也不敢常去。

那时已到十月中旬，宝玉起来，要往学房中去。这日天气陡寒，只见袭人早已打点出一包衣服，向宝玉道：『今日天气狠冷，早晚宁使暖些。』说着，把衣裳拿出来，给宝玉挑了一件穿。又包了一件，叫小丫头拿出，交给焙茗，嘱咐道：『天气凉，二爷要换时，好生预备着。』焙茗答应了，抱着毡包，跟着宝玉自去。

宝玉到了学房中，做了自己的工课，忽听得纸窗呼喇喇一派风声。代儒道：『天气又发冷。』把风门推开一看，只见西北上一层层的黑云，渐渐往东南扑上来。焙茗走进来回宝玉道：『二爷，天气冷了，再添些衣服罢。』宝玉点点头儿。只见焙茗拿进一件衣服来。宝玉不看则已，看了时，神已痴了。那些小学生都巴着眼瞧。却原是晴雯所补的那件雀金裘。宝玉道：『怎么拿这一件来？是谁给你的？』焙茗道：『是里头姑娘们包出来的。』宝玉道：『我身上不大冷，且不穿呢，包上罢。』（后四十回不断温习旧事。这些呼应都是写得好的，必要的。）代儒只当宝玉可惜这件衣服，却也心里喜他知道俭省。焙茗道：『二爷穿上罢。着了凉，又是奴才的不是了。二爷只当疼奴才罢！』宝玉无奈，只得穿上，呆呆的对着书坐着。（应有此等呆坐，不然，晴雯更冤枉了。）代儒也只当他看书，不甚理会。晚间放学时，宝玉便往代儒托病告假一天。代儒本来上年纪的人，也不过伴着几个孩子解闷儿，时常也八病九痛的，乐得去一个少操一日心。况且明知贾政事忙，贾母溺爱，便点点头儿。

宝玉一径回来，见过贾母王夫人，也是这样说，自然没有不信的。略坐一坐，便回园中去了。见了袭人等，也不似往日有说有笑的，便和衣躺在炕上。袭人道：『晚饭预备下了，这会儿吃，还是等一等儿？』宝玉道：『我不吃了，心里不舒服。你们吃去罢。』袭人道：『那么着，你也该把这件衣服换下来了。那个东西那里禁得住揉搓？』宝玉道：『不用换。』袭人道：『倒也不但是娇嫩物儿，你瞧瞧那上头的针线，也不该这么遭塌他呀。』宝玉听了这话，正碰在他心坎儿上，叹了一口气道：『那么着，你就收起来，给我包好了。我也总不穿他了！』说着，站起来脱下。袭人才过来接时，宝玉已经自己叠起。袭人道：『二爷怎么今日这样勤谨起来了？』宝玉也不答言，叠好了，便问：『包这个的包袱呢？』（这些对话读似无心无意，实际还比较合乎身份与人情，写得很顺手。）麝月连忙递过来，让他自己包好，回头却和袭人挤着眼儿笑。（好一个挤着眼儿笑！冷漠，麻木，无情，已经达到了残忍得令人发指的程度。而且，

（她们的这种残忍麻木并非有所为的——不是与死者有冤仇，而是自然无觉察的。）宝玉也不理会，自己坐着，无精打彩。猛听架上钟响，自己低头看了看表针已指到酉初二刻了。一时小丫头点上灯来。袭人道：『你不吃饭，喝一口粥儿罢，别净饿着。看仔细饿上虚火来，那又是我们的累赘了。』宝玉摇摇头儿，说：『这不大饿，强吃了倒不受用。』袭人道：『既这么着，就索性早些歇着罢。』于是袭人麝月铺设好了，宝玉也就歇下。翻来复去，只睡不着，将及黎明，反蒙眬睡去，不一顿饭时，早又醒了。

此时袭人麝月也都起来。袭人道：『昨夜听着你翻腾到五更多，我也不敢问你。后来我就睡着了，不知到底你睡着了没有？』宝玉道：『也睡了一睡，不知怎么就醒了。』袭人道：『你没有什么不受用？』宝玉道：『没有，只是心上发烦。』袭人道：『今日学房里去不去？』宝玉道：『我昨儿已经告了一天假了，今儿我要想园里逛一天，散散心，只是怕冷。你叫他们收拾一间屋子，备下一炉香，搁下纸墨笔砚，你们只管干你们的，我自己静坐半天才好，别叫他们来搅我。』麝月接着道：『二爷要静静儿的用工夫，谁敢来搅！』袭人道：『这么着狠好，也省得着了凉，自己坐坐，心神也不散。』（袭人的『心神不散论』，是无师自通的心理健康维护方法。）因又问：『你既懒待吃饭，今日吃什么，早说，好传给厨房里去。』宝玉道：『还是随便罢，不必闹的大惊小怪的。倒是要几个果子搁在那屋里，借点果子香。』袭人道：『那个屋里好？别的都不大干净，只是晴雯起先住的那一间，因一向无人，还干净。就是清冷些。』宝玉道：『不妨，把火盆挪过去就是了。』袭人答应了。（完全是四十三回『不了情暂撮土为香』的路子。）

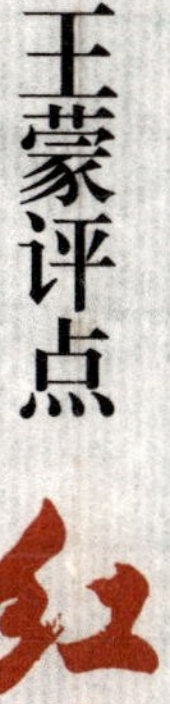

正说着，只见一个小丫头端了一个茶盘儿，一个碗，一双牙箸，递给麝月，道：『这是刚才花姑娘要的，厨房里老婆子送了来了。』麝月接了一看，却是一碗燕窝汤，便问袭人道：『这是姐姐要的么？』袭人笑道：『昨夜二爷没吃饭，又翻腾了一夜，想来今日早起心里必是发空的，所以我告诉小丫头们，叫厨房里作了这个来的。』袭人一面叫小丫头放桌儿。麝月打发宝玉喝了，漱了口，只见秋纹走来说道：『那屋里已经收拾妥了，但等着一时炭劲过了，二爷再进去罢。』宝玉点头，只是一腔心事，懒意说话。

一时，小丫头来请，说：『笔砚都安放妥当了。』宝玉道：『知道了。』又一个小丫头回道：『早饭得了，二爷在那里吃？』宝玉道：『就拿了来罢，不必累赘了。』小丫头答应了自去。一时端上饭来。宝玉笑了一笑，向麝月袭人道：『我心里闷得狠，自己吃只怕又吃不下去，不如你们两个同我一块儿吃，或者吃的香甜，我也多吃些。』麝月笑道：『这是二爷的高兴，我们可不敢。』袭人道：『其实也使得，我们一处喝酒，也不止今日。只是偶然替你解闷儿，还使得；若认真这样，还有什么规矩体统呢。』说着，三人坐下，宝玉在上首，袭人麝月两个打横陪着。吃了饭，小丫头端上漱口茶来，两个看着撤了下去。（亦令人想起晴雯的『没大没小』的亲切活泼。）

宝玉因端着茶，默默如有所思，又坐了一坐，便问道：『那屋里收拾妥了么？』（宝玉的神态言谈，都恰到好处。）麝月道：『头里就回过了，这会子又问。』宝玉略坐了一坐，便过这间屋子来。亲自点了一炷香，摆上些果品，便叫人出去，关上了门。外面袭人等都静悄无声。宝玉拿了一幅泥金角花的粉红笺出来，口中祝了几句，便提起笔来写道：

怡红主人焚付晴姐知之：

酌茗清香，庶几来飨。

其词云：

随身伴，独自意绸缪。谁料风波平地起，顿教躯命即时休。孰与话轻柔？东逝水，无复向西流。想象更无怀梦草，添衣还见翠云裘。脉脉使人愁！（『想象』二句不错。写得尚潇洒，没有如一些人所诟病的高鹗的迂腐气。）

写毕，就在香上点个火，焚化了。静静儿等着，直待一炷香点尽了，才开门出来。袭人道：『怎么出来了？想来又闷的慌了。』宝玉笑了一笑，假说道：『我原是心里烦，才找个地方儿静坐坐儿。这会子好了，还要外头走走去呢。』

宝玉的感情，常常只能是一种精神上的自我完成。对金钏是如此，对晴雯也是如此，她们活着，他不能挺身而出，仗义执言，分担责任，反对暴行，与人抗争。她们死了，他不能诉说和表达自己的悲愤，哪怕只是辛酸，他不能公开自己的情感，他不能与人交流。然后他最多去偷偷烧一炷香，闹一回情绪，少吃一顿饭，少睡几个小时觉而已。可怜。

说着，一径出来。到了潇湘馆中，在院里问道：『林妹妹在家里呢么？』（一追悼晴雯便接着见黛玉，无怪乎有所谓『晴雯是黛玉的影子』之说。影说虽然无稽，性格——心曲自有相通。）紫鹃接应道：『是谁？』掀帘看时，笑道：『原来是宝二爷。姑娘在屋里呢，请二爷到屋里坐着。』宝玉同着紫鹃走进来。黛玉却在里间呢，说道：『紫鹃，请二爷屋里坐罢。』

宝玉走到里间门口，看见新写的一副紫墨色泥金云龙笺的小对，上写着：『绿窗明月在，青史古人空。』宝玉看了，

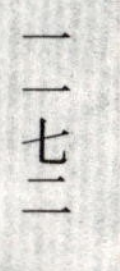

笑了一笑，走入门去，笑问道：『妹妹做什么呢？』黛玉站起来，迎了两步，笑着让道：『请坐。我在这里写经，只剩得两行了。等写完了再说话儿。』因叫雪雁倒茶。宝玉道：『你别动，只管写。』说着，一面看见中间挂着一幅单条，上面画着一个嫦娥，带着一个侍者；又一个女仙，也有一个侍者，捧着一个长长儿的衣囊似的；二人身旁边略有些云护，别无点缀，全仿李龙眠白描笔意，上有『斗寒图』三字，用八分书写着。宝玉道：『妹妹这幅斗寒图可是新挂上的？』黛玉道：『可不是。昨日他们收拾屋子，我想起来，拿出来叫他们挂上的。』宝玉道：『是什么出处？』黛玉笑道：『眼前熟的狠的，还要问人。』宝玉笑道：『我一时想不起，妹妹告诉我罢。』黛玉道：『岂不闻「青女素娥俱耐冷，月中霜里斗婵娟」？』宝玉道：『是啊，这个实在新奇雅致，却好此时拿出来挂。』说着，又东瞧瞧，西走走。

雪雁沏了茶来，宝玉吃着。又等了一会子，黛玉经才写完，站起来道：『简慢了。』宝玉笑道：『妹妹还是这么客气。』但见黛玉身上穿着月白绣花小毛皮袄，加上银鼠坎肩；头上挽着随常云髻，簪上一枝赤金扁簪，别无花朵；腰下系着杨妃色绣花绵裙。真比如：

亭亭玉树临风立，冉冉香莲带露开。

宝玉因问道：『妹妹这两日弹琴来着没有？』黛玉道：『两日没弹了。因为写字已经觉得手冷，那里还去弹琴？』宝玉道：『不弹也罢了。我想琴虽是清高之品，却不是好东西，从没有弹琴里弹出富贵寿考来的，只有弹出忧思怨乱来的。（艺术有害论。艺术憎命达。此论有理，唯不像宝玉的理。再者，虽有理而艺术不灭。）再者，弹琴也得心

里记谱，未免费心。依我说，妹妹身子又单弱，不操这心也罢了。』黛玉抿着嘴儿笑。宝玉指着壁上道：『这张琴可就是么？怎么这么短？』黛玉笑道：『这张琴不是短，因我小时学抚的时候，别的琴都彀不着，因此特地做起来的。虽不是焦尾枯桐，这鹤山凤尾，还配得齐整；龙池雁足，高下还相宜。你看这断纹，不是牛旄是的么？所以音韵也还清越。』宝玉道：『妹妹这几天来做诗没有？』黛玉道：『自结社以后，没大作。』宝玉笑道：『你别瞒我。我听见你吟的，什么「不可惙，素心如何天上月」，你搁在琴里，觉得音响分外的响亮。有的没有？』黛玉道：『你怎么听见了？』宝玉道：『我那一天从蓼风轩来听见的，又恐怕打断你的清韵，所以静听了一会，就走了。我正要问你：前路是平韵，到末了儿忽转了仄韵，是个什么意思？』（那次听琴，只和妙玉共赏共析，却未与主角黛玉见面，这不，找补过来了。）黛玉道：『这是人心自然之音，做到那里就到那里，原没有一定的。』宝玉道：『原来如此。可惜我不知音，枉听了一会子。』黛玉道：『古来知音人能有几个？』宝玉听了，又觉得出言冒失了，又怕寒了黛玉的心。坐了一坐，心里像有许多话，却再无可讲的。（不好谬托知音，又不好说不知音，也是两难。）黛玉因方才的话也是冲口而出，此时回想，觉得太冷淡些，也就无话。宝玉一发打量黛玉设疑，遂讪讪的站起来说道：『妹妹坐着罢，我还要到三妹妹那里瞧瞧去呢。』黛玉道：『你若见了三妹妹，替我问候一声罢。』宝玉答应着，便出来了。

黛玉送至屋门口，自己回来，闷闷的坐着，心里想道：『宝玉近来说话，半吐半吞，忽冷忽热，也不知他是什么意思。』正想着，紫鹃走来道：『姑娘，经不写了？我把笔砚都收好了。』黛玉道：『不写了，收起去罢。』

说着，自己走到里间屋里床上歪着，慢慢的细想。（实际问题，已到了短兵相接之时。）紫鹃进来问道：『姑娘喝碗茶罢？』黛玉道：『不喝呢。我略歪歪儿，你们自己去罢。』

紫鹃答应着出来，只见雪雁一个人在那里发呆。紫鹃走到他跟前，问道：『你这会子也有了什么心事了么？』雪雁只顾发呆，倒被他吓了一跳，因说道：『你别嚷，今日我听见了一句话，我告诉你听，奇不奇。你可别言语！』说着，往屋里努嘴儿，因自己先行，点着头儿叫紫鹃同他出来，到门外平台底下，悄悄儿的道：『姐姐，你听见了么？宝玉定了亲了。』紫鹃听见，吓了一跳，说道：『这是那里来的话？只怕不真罢？』雪雁道：『怎么不真！别人大概都知道，就只咱们没听见。』紫鹃道：『你在那里听来的？』雪雁道：『我听见侍书说的，是个什么知府家，家资也好，人才也好。』（雪雁在黛玉这边，本来像是一个可有可无的角色，这回可派了大用场了。也是『天生我材必有用』啊。）

紫鹃正听时，只听得黛玉咳嗽了一声，似乎起来的光景。紫鹃恐怕他出来听见，便拉了雪雁，摇摇手儿，往里望望，不见动静，才又悄悄儿的问道：『他到底怎么说来？』雪雁道：『前儿不是叫我到三姑娘那里去道谢吗，三姑娘不在屋里，只有侍书在那里。大家坐着，无意中说起宝二爷的淘气来。他说：「宝二爷怎么好！只会顽儿，全不像大人的样子，已经说亲了，还是这么呆头呆脑。」我问他：「定了没有？」他说是：「定了，是个什么王大爷做媒的。那王大爷是东府里的亲戚，所以也不用打听，一说就成了。」』（此事正需要一个吃凉不管酸的雪雁来报，如换成别的房里的姑娘，不能来传话。如换成紫鹃，势必会问清弄清，收不到杯弓蛇影，似是而非的效果。）紫鹃侧着头想了一想，『这句话奇！』又问道：『怎么家里没有人说起？』雪雁道：『侍书也说的，是老太太的意思。若一说起，恐怕宝玉野了心，所以都不提起。侍书告诉了我，又叮咛千万不可露风说出来，只道是我多嘴。」往里一指，「所以他面前也不提。今日是你问起，我不犯瞒你。」（各种小道消息，可靠的不可靠的，原来确有后来变了的，「红」已有之。）

正说到这里，只听鹦鹉叫唤，学着说：「姑娘回来了，快倒茶来！」（鹦鹉掺和一下，更妙。疑得自「鹦鹉前头不敢言」句。）倒把紫鹃雪雁吓了一跳。回头并不见有人，便骂了鹦鹉一声。走进屋内，只见黛玉喘吁吁的刚坐在椅子上。紫鹃搭赸着问茶问水。黛玉问道：「你们两个那里去了？再叫不出一个人来。」说着，便走到炕边，将身子一歪，仍旧倒在炕上，往里躺下，叫把帐子撩下。紫鹃雪雁答应出去，他两个心里疑惑方才的话只怕被他听了去了，只好大家不提。（亦是自虚惊起。）

谁知黛玉一腔心事，又窃听了紫鹃雪雁的话，虽不狠明白，已听得了七八分，如同将身撂在大海里一般。（如撂大海的比喻有趣，盖那个时候的中国人有海上航行、海上游泳或失事堕海的经验的人很少，不知此话的经验依据来自何处。）思前想后，竟应了前日梦中之谶，千愁万恨，堆上心来。左右打算，不如早些死了，免得眼见了意外的事情，那时反倒无趣。又想到自己没了爹娘的苦，自今以后，把身子一天一天的遭塌起来，一年半载，少不得身登清净。打定了主意，被也不盖，衣也不添，竟是合眼装睡。紫鹃和雪雁来伺候几次，不见动静，又不好叫唤。晚饭都不吃。点灯已后，紫鹃掀开帐子，见已睡着了，被窝都蹬在脚后。怕他着了凉，轻轻儿拿来盖上。黛玉也不动，单待他出去，仍然褪下。那紫鹃只管问雪雁：「今儿的话到底是真的是假的？」雪雁道：「怎么不真！」紫鹃道：「侍书怎么知道的？」雪雁道：「是小红那里听来的。」紫鹃道：「头里咱们说话，只怕姑娘听见了。你看刚才的神情，大有原故。今日以后，咱们倒别提这件事了。」说着，两个人也收拾要睡。紫鹃进来看时，只见黛玉被窝又蹬下来，复又给他轻轻盖上。一宿晚景不提。

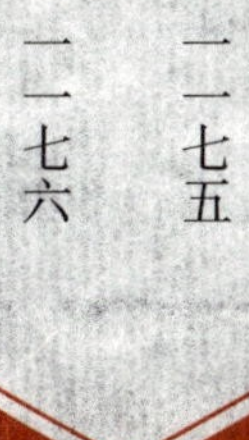

次日，黛玉清早起来，也不叫人，独自一个，呆呆的坐着。（呆呆的神情最可怕，胜过一切激烈表现。）紫鹃醒来，看见黛玉已起，便惊问道：「姑娘怎么这样早？」黛玉道：「可不是！睡得早，所以醒得早。」紫鹃连忙起来，叫醒雪雁，伺候梳洗。那黛玉对着镜子，只管呆呆的自看。（再次呆呆，连续呆呆。）看了一回，那泪珠儿断断连连，早已湿透了罗帕。正是：

瘦影正临春水照，卿须怜我我怜卿。

紫鹃在旁也不敢劝，只怕倒把闲话勾引旧恨来。迟了好一会，黛玉才随便梳洗了，那眼中泪渍，终是不干。又自坐了一会，叫紫鹃道：「你把藏香点上。」紫鹃道：「姑娘，你睡也没睡得几时，如何点香？不是要写经？」黛玉点点头儿。紫鹃道：「姑娘今日醒得太早，这会子又写经，只怕太劳神了罢。」黛玉道：「不怕！早完了早好！况且我也并不是为经，倒借着写字解解闷儿。以后你们见了我的字迹，就算见了我的面儿了。」（黛玉永远充满着不幸的预感，感受着超前的悲哀。谁能无死？唯预先体验设想得如此细致入微，就太令人难过了。黛玉一直生活在死亡的阴影中。生命何等软弱！）说着，那泪直流下来。紫鹃听了这话，不但不能再劝，连自己也掌不住滴下泪来。

原来黛玉立定主意，自此以后，有意遭塌身子，茶饭无心，每日渐减下来。宝玉下学时，也常抽空问候。只是黛玉虽有万千言语，自知年纪已大，又不便似小时可以柔情挑逗，所以满腔心事，只是说不出来。宝玉欲将实

言安慰，又恐黛玉生嗔，反添病症。两个人见了面，只得用浮言劝慰，真真是『亲极反疏』了。（亲极反疏，这种表达相当微妙。）

那黛玉虽有贾母王夫人等怜恤，不过请医调治，只说黛玉常病，那里知他的心病？紫鹃等虽知其意，也不敢说。从此，一天一天的减。到半月之后，肠胃日薄一日，果然粥都不能吃了。（厌食症。也是极准确的精神症状描写。堪入临床诊断病历。）黛玉日间听见的话，都似宝玉娶亲的话；看见怡红院中的人，无论上下，也像宝玉娶亲的光景。薛姨妈来看，黛玉不见宝钗，越发起疑心。索性不要人来看望，也不肯吃药，只要速死。睡梦之中，常听见有人叫『宝二奶奶』的。一片疑心，竟成蛇影。一日竟是绝粒，粥也不喝，恹恹一息，（这个过程写得可信、可感。）垂毙殆尽。未知黛玉性命如何，且看下回分解。

与晴雯天人相隔，与黛玉人人相隔，他人更是地狱，宝玉苦也，黛玉风雨飘摇，确实是一口气就能吹倒。宝玉的婚姻之日，亦即黛玉的必死之时，这一回已经写足了。焦虑过度，自成抑郁之症，我国古典小说绝少从正面写人物的精神变态。『红』独秀于写宝玉与黛玉之心理疾患。为什么病呢？由于爱情。在那样的文化氛围中，爱即（精神）病。

晴雯事件是强硬的与冤枉的，黛玉悲剧是无形的与无言的。宝玉必呆、黛玉必亡之势已成。

第九十回 失绵衣贫女耐嗷嘈 送果品小郎惊叵测

却说黛玉自立意自戕之后，渐渐不支，一日竟至绝粒。从前十几天内，贾母等轮流看望，他有时还说几句话；这两日索性不大言语。心里虽有时昏晕，却也有时清楚。（这样写既增加了此后黛玉因婚姻不成而死的可信性，也延长了她在爱情上的悲剧体验，使小说更加『有戏』。）贾母等见他这病不似无因而起，也将紫鹃雪雁盘问过两次。两个那里敢说？便是紫鹃欲向侍书打听消息，又怕越闹越真，黛玉更死得快了，所以见了侍书，毫不提起。那雪雁是他传话弄出这样缘故来，此时恨不得长出百十个嘴来说『我没说』，自然更不敢提起。（世上不知有多少这样的无头公案。）到了这一天黛玉绝粒之日，紫鹃料无指望了，守着哭了会子，因出来偷向雪雁道：『你进屋里来，好好儿的守着他，我去回老太太、太太和二奶奶去。今日这个光景，大非往常可比了。』雪雁答应，紫鹃自去。

这里雪雁正在屋里伴着黛玉，见他昏昏沉沉，小孩子家那里见过这个样儿，只打谅如此便是死的光景了，心中又痛又怕，恨不得紫鹃一时回来才好。（小孩子才以为死这样容易。不受完『生』要受的罪，让你死吗？）正怕着，只听窗外脚步走响，雪雁知是紫鹃回来，才放下心了，连忙站起来，掀着里间帘子等他。只见外面帘子响处，进来了一个人，却是侍书。那侍书是探春打发来看黛玉的，见雪雁在那里掀着帘子，便问道：『姑娘怎么样？』（侍书是被续作者派来的吧？）雪雁点点头儿，叫他进来。侍书跟进来，见紫鹃不在屋里，瞧了瞧黛玉，只剩得残喘微延，唬的惊疑不止。因问：『紫鹃姐姐呢？』雪雁道：『告诉上屋里去了。』

那雪雁此时只打谅黛玉心中一无所知了，又见紫鹃不在面前，因悄悄的拉了侍书的手问道：『你前日告诉我说的什么王大爷给这里宝二爷说了亲，是真话么？』（这里略显人为痕迹。）侍书道：『怎么不真！』雪雁道：『多早晚放定的？』侍书道：『那里就放定了呢？那一天我告诉你时，是我听见小红说的。后来我到二奶奶那边去，二奶奶正和平姐姐说呢，道：「那都是门客们借着这个事讨老爷的喜欢，往后好拉拢的意思。别说大太太说不好，就是大太太愿意，说那姑娘好，那大太太眼里看的出什么人来？再者，老太太心里早有了人了，就在咱们园子里的，大太太那里摸的着底呢？老太太不过因老爷的话，不得不问问罢咧。」（不忘两个山头。）又听见二奶奶说：「宝玉的事，老太太总是要亲上作亲的，凭谁来说亲，横竖不中用。」（像『肥皂剧』里的情节。）雪雁听到这里，也忘了神了，因说道：「这是怎么说！白白的送了我们这一位的命了！」侍书道：「这是从那里说起？」雪雁道：「你还不知道呢！前日都是我和紫鹃姐姐说来着，这一位听见了，就弄到这步田地了。」侍书道：「你悄悄儿的说罢，看仔细他听见了。」雪雁道：「人事都不醒了，瞧瞧罢，左不过在这一两天了。」正说着，只见紫鹃掀帘进来说：「这还了得！你们有什么话，还不出去说，还在这里说！索性逼死他就完了。」侍书道：「我不信有这样奇事。」紫鹃道：「好姐姐，不是我说，你又该恼了。你懂得什么呢？懂得也不传这些舌了。」（这一节人为痕迹稍重。）

这里三个人正说着，只听黛玉忽然又嗽了一声，紫鹃连忙跑到炕沿前站着，侍书雪雁也都不言语了。紫鹃弯着腰，在黛玉身后轻轻问道：「姑娘，喝口水罢？」黛玉微微答应了一声。雪雁连忙倒了半钟滚白水，紫鹃接了托着，侍书也走近前来。紫鹃和他摇头儿，不叫他说话，侍书只得咽住了。站了一回，黛玉又嗽了一声。紫鹃趁势问道：「姑娘，喝水呀？」黛玉又微微应了一声，那头似有欲抬之意，那里抬得起？紫鹃爬上炕去，爬在黛玉傍边，端着水，试了冷热，送到唇边，扶了黛玉的头，就到碗边，喝了一口。紫鹃才要拿时，黛玉意思还要喝一口，紫鹃便托着那碗不动。黛玉又喝了一口，摇摇头儿，不喝了，喘了一口气，仍旧躺下。半日，微微睁眼，

说道：「刚才说话不是侍书么？」紫鹃答应道：「是。」侍书尚未出去，因连忙过来问候。黛玉睁眼看了，点点头儿，又歇了一歇，说道：「回去问你姑娘好罢。」侍书见这番光景，只当黛玉嫌烦，只得悄悄的退出去了。

原来那黛玉虽则病势沉重，心里却还明白。起先侍书雪雁说话时，他也模糊听见了一半句，却只作不知，也因实无精神答理。及听了雪雁侍书的话，才明白过前头的事情原是议而未成的，又兼侍书说是凤姐说的，老太太的主意，亲上作亲，又是园中住着的，非自己而谁？因此一想，阴极阳生，心神顿觉清爽许多，所以才喝了两口水，又要想问侍书的话。恰好贾母、王夫人、李纨、凤姐听见紫鹃之言都赶着来看。黛玉心中疑团已破，自然不似先前寻死之意了。虽身体软弱，精神短少，却也勉强答应一两句了。凤姐因叫过紫鹃，问道：「姑娘也不至这样。这是怎么说，你这样唬人。」紫鹃道：「实在头里看着不好，才敢去告诉的。回来见姑娘竟好了许多，也就怪了。」贾母笑道：「你也别怪他。他懂得什么？看见不好就言语，这倒是他明白的地方。小孩子家不嘴懒脚嫩就好。」说了一回，贾母等料着无妨，也就去了。（爱情使人死。爱情使人生。爱情使人死去活来。爱情活活地要人的命。体验过这样的爱情的人有福了。体验过这样的爱情的人生未免也太痛苦了。）正是：

心病终须心药治，解铃还是系铃人。

不言黛玉病渐减退。且说雪雁紫鹃背地里都念佛。雪雁向紫鹃说道：「亏他好了，只是病的奇怪，好的也奇怪。」紫鹃道：「病的倒不怪，就只好的奇怪。想来宝玉和姑娘必是姻缘。人家说的：『好事多磨。』又说道：『是姻缘棒打不回。』这样看起来，人心天意，他们两个竟是天配的了。再者，你想那一年，我说了林姑娘要回南去，

把宝玉没急死了，闹得家翻宅乱；如今一句话又把这一个弄的死去活来：可不说的「三生石上」百年前结下的么？』（总认为愿望迟早会变成事实，这是普通人的通病。）说着，两个悄悄的抿着嘴笑了一回。雪雁又道：『幸亏好了！咱们明儿再别说了，就是宝玉娶了别的人家儿的姑娘，我亲见他在那里结亲，我也再不露一句话了。』紫鹃笑道：『这就是了。』不但紫鹃和雪雁在私下里讲究，就是众人也都知道黛玉的病也病的奇怪，好也好得奇怪，三三两两，唧唧哝哝议论着。不多几时，连凤姐儿也知道了，邢王二夫人也有些疑惑，倒是贾母略猜着了八九。（形势更加紧张，黛玉已面临人言可畏的形势。）

那时正值邢王二夫人、凤姐等在贾母房中说闲话，说起黛玉的病来。贾母道：『我正要告诉你们。宝玉和林丫头是从小儿在一处的，我只说小孩子们，怕什么？以后时常听得林丫头忽然病，忽然好，都为有了些知觉了。所以我想他们若尽着搁在一块儿，毕竟不成体统。你们怎么说？』（其实，噩梦成真，比愿望成真还更容易发生。）王夫人听了，便呆了一呆，只得答应道：『林姑娘是个有心计儿的。至于宝玉，呆头呆脑，不避嫌疑是有的。看起外面，却还都是个小孩儿形象。此时若忽然或把那一个分出园外，不是倒露了什么痕迹了么？古来说的：「男大须婚，女大须嫁。」老太太想，倒是赶着把他们的事办办也罢了。』贾母皱了一皱眉，说道：『林丫头的乖僻，虽也是他的好处，我的心里不把林丫头配他，也是为这点子；况且林丫头这样虚弱，恐不是有寿的。只有宝丫头最妥。』王夫人道：『不但老太太这么想，我们也是这样。但林姑娘也得给他说了人家儿才好。不然，女孩儿家长大了，那个没有心事？倘或真与宝玉有些私心，若知道宝玉定下宝丫头，那倒不成事了。』（作为家长，不仅是封建家长，不喜自己的孙子与一乖僻女子成亲，倒也可以理解。）贾母道：『自然先给宝玉娶了亲，然后给林丫头说人家。再没有先是外人、后是自己的。况且林丫头年纪到底比宝玉小两岁。依你们这样说，倒是宝玉定亲的话，不许叫他知道倒罢了。』（可惜爱情毕竟不是家长的事，而是个人的事。）凤姐便吩咐众丫头们道：『你们听见了？宝二爷定亲的话不许混吵嚷；若有多嘴的，堤防着他的皮！』（都是过场话。）贾母又向凤姐道：『凤哥儿，你如今自从身上不大好，也不大管园里的事了。我告诉你，须得经点儿心。不但这个，就像前年那些人喝酒耍钱，都不是事。你还精细些，少不得多分点心儿，严紧严紧他们才好。况且我看他们也就只还服你。』（所谓『严紧』与『只还服你』，透露的是松弛与渐渐谁也不服的信息。）凤姐答应了。娘儿们又说了一回话，方各自散了。

从此，凤姐常到园中照料。一日，刚走进大观园，到了紫菱洲畔，只听见一个老婆子在那里嚷。凤姐走到跟前，那婆子才瞧见了，早垂手侍立，口里请了安。凤姐道：『你在这里闹什么？』婆子道：『蒙奶奶们派我在这里看守花果，我也没有差错，不料邢姑娘的丫头说我们是贼。』凤姐道：『为什么呢？』婆子道：『昨儿我们家的黑儿跟着我到这里顽了一回，他不知道，又往邢姑娘那边去瞧了一瞧，我就叫他回去了。今儿早起，听见他们丫头说，丢了东西了。我问他丢了什么，他就问起我来了。』凤姐道：『问了你一声，也犯不着生气呀。』婆子道：『这里园子，到底是奶奶家里的，并不是他们家里的。我们都是奶奶派的，贼名儿怎么敢认呢？』（同类情节，前八十回写来是何等可钉可铆、严丝合缝，引人入胜，而这里又写得何等粗草应付、马虎搪塞。）凤姐照脸啐了一口，厉声道：『你少在我跟前唠唠叨叨的！你在这里照看，姑娘丢了东西，你们就该问哪，怎么说出这些没道理的话来？把老林叫了来，撵他出去。』丫头们答应了。只见邢岫烟赶忙出来，迎着凤姐陪笑道：『这使不得，没有的事。事情早过去了。』凤姐道：『姑娘，不是这个话。倒不讲事情，这名分上太岂有此理了。』岫烟见婆子跪在地下告饶，便忙请凤姐到里边去坐。凤姐道：『他们这种人，我知道他，除了我，其余都没上没下的了。』岫烟再三替他讨饶，只说自己的丫头不好。凤姐道：『我看着邢姑娘的分上，饶你这一次。』（凤姐也是摆姿态，以使岫烟面子上过得去。岫烟实不敢得罪这些婆子，否则凤姐走了，她还怎么和她们处？）婆子才起来磕了头，又给岫烟磕了头，才出去了。

这里二人让了坐，凤姐笑问道：『你丢了什么东西了？』岫烟笑道：『没有什么要紧的，是一件红小袄儿，已经旧了的。我原叫他们找，找不着就罢了。这小丫头不懂事，问了那婆子一声，那婆子自然不依了。这都是小丫头糊涂不懂事，我也骂了几句。已经过去了，不必再提了。』凤姐把岫烟内外一瞧，看见虽有些皮绵衣服，已是半新不旧的，未必能暖和，他的被窝多半是薄的。（直露生硬，毫无婉转之态。）至于房中桌上摆设的东西，就是老太太拿来的，却一些不动，收拾的干干净净。凤姐心上便狠爱敬他，说道：『一件衣服，原不要紧。这时候冷，又是贴身的，怎么就不问一声儿呢？这撒野的奴才，了不得了！』说了一回，凤姐出来，各处去坐了一坐，就回去了。到了自己房中，叫平儿取了一件大红洋绉的小袄儿，一件松花色绫子一抖珠儿的小皮袄，一条宝蓝盘锦镶花绵裙，一件佛青银鼠褂子，包好叫人送去。

那时岫烟被那老婆子聒噪了一场，虽有凤姐来压住，心上终是不安。想起『许多姐妹们在这里，没有一个下

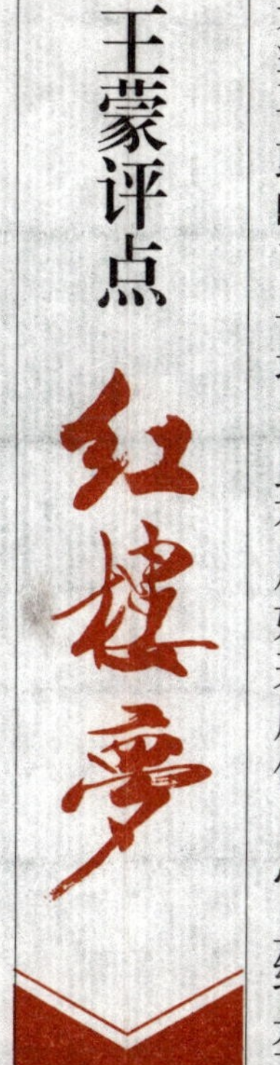

人敢得罪他的，独自我这里，他们言三语四，刚刚凤姐来碰见』。想来想去，终是没意思，又说不出来。正在吞声饮泣，看见凤姐那边的丰儿送衣服过来。岫烟一看，决不肯受。丰儿道：『奶奶吩咐我说：「姑娘要嫌是旧衣裳，将来送新的来。」』岫烟笑谢道：『承奶奶的好意。只是因我丢了衣服，他就拿来，我断不敢受的。拿回去，千万谢你们奶奶！承你奶奶的情，我算领了。』倒拿个荷包给了丰儿。那丰儿只得拿了去了。

不多时，又见平儿同着丰儿过来，岫烟忙迎着问了好，让了坐。平儿笑说道：『我们奶奶说：姑娘特外道的了不得！』岫烟道：『不是外道，实在不过意。』平儿道：『奶奶说：「姑娘要不收这衣裳，不是嫌太旧，就是瞧不起我们奶奶。」刚才说了：我要拿回去，奶奶不依我呢。』岫烟红着脸笑谢道：『这样说了，叫我不敢不收。』又让了一回茶。（有个岫烟也好，大观园诸事总不能往一团漆黑、无尽猛料的方向发展。）

平儿同丰儿回去，将到凤姐那边，碰见薛家差来的一个老婆子，接着问好。平儿便问道：『你那里来的？』婆子道：『那边太太、姑娘叫我来请各位太太、奶奶、姑娘们的安。我才刚在奶奶前问起姑娘来，说姑娘到园中去了。可是从邢姑娘那里来么？』平儿道：『你怎么知道？』婆子道：『方才听见说，真真的二奶奶和姑娘们的行事叫人感念！』平儿笑了一笑说：『你回来坐着罢。』婆子道：『我还有事，改日再过来瞧姑娘罢。』说着走了。平儿回来，回复了凤姐。不在话下。

且说薛姨妈家中被金桂搅得翻江倒海，看见婆子回来，说起岫烟的事，宝钗母女二人不免滴下泪来。（写了黛玉、岫烟以后，再写写金桂、宝蟾，也算笔墨更换一下。）宝钗道：『都为哥哥不在家，所以叫邢姑娘多吃几天苦。

如今还亏凤姐姐不错。咱们底下也得留心，到底是咱们家里人。』说着，只见薛蝌进来说道：『大哥哥这几年在外头相与的都是些什么人！连一个正经的也没有，来一起子，都是些狐群狗党。我看他们那里是不放心，不过将来探探消息儿罢咧。这两天都被我赶出去了。以后吩咐了门上，不许传进这种人来。』薛姨妈道：『又是蒋玉函那些人哪？』薛蝌道：『蒋玉函却倒没来，倒是别人。』薛姨妈听了薛蝌的话，不觉又伤心起来，说道：『我虽有儿，如今就像没有的了。就是上司准了，也是个废人。你虽是我侄儿，我看你还比你哥哥明白些，我这后辈子全靠你了。你自己从今更要学好。再者，你聘下的媳妇儿，家道不比往时了。人家的女孩儿出门子不是容易，再没别的想头，只盼着女婿能干，他就有日子过了。若邢丫头也像这个东西……』说着，把手往里头一指，道：『我也不说了。邢丫头实在是个有廉耻有心计儿的，又守得贫，耐得富。只是等咱们的事过去了，早些儿把你们的正经事完结了，也了我一宗心事。』薛蝌道：『琴妹妹还没有出门子，这倒是太太烦心的一件事。至于这个，可算什么呢。』（薛蝌、岫烟给人以树标兵，反衬薛蟠、金桂之糟烂的感觉。尤其薛蝌这个人物，写得没意思。）

大家又说了一回闲话，薛蝌回到自己房中，吃了晚饭，想起邢岫烟住在贾府园中，终是寄人篱下，况且又穷，日用起居不想可知。况兼当初一路同来，模样儿，性格儿，都知道的。可知天意不均：如夏金桂这种人，偏叫他有钱，娇养得这般泼辣；邢岫烟这种人，偏叫他这样受苦。阎王判命的时候，不知如何判法的？（这些感慨，也正好用来烘托黛玉。）想到闷来，也想吟诗一首，写出来出胸中的闷气，又苦自己没有工夫，只得混写道：

蛟龙失水似枯鱼，两地情怀感索居。

同在泥涂多受苦，不知何日向清虚！（写出这样的货色，也许与薛蝌此人般配，却与『红』的诗文部分不般配。此诗令人想起当今某些附庸风雅却是连《唐诗三百首》也没读过的人的厚颜之作。）

写毕，看了一回，意欲拿来粘在壁上，又不好意思，自己沉吟道：『不要被人看见笑话。』又念了一遍，道：『管他呢，左右粘上自己看着解闷儿罢。』又看了一回，到底不好，拿来夹在书里。又想：『自己年纪可也不小了，家中又碰见这样飞灾横祸，不知何日了局。致使幽闺弱质，弄得这般凄凉寂寞。』

正在那里想时，只见宝蟾推进门来，拿着一个盒子，笑嘻嘻放在桌上。薛蝌站起来让坐。宝蟾笑着向薛蝌道：『这是四碟果子，一小壶儿酒：大奶奶叫给二爷送来的。』薛蝌陪笑道：『大奶奶费心！但是叫小丫头们送来就完了，怎么又劳动姐姐呢？』宝蟾道：『好说。自家人，二爷何必说这些套话？再者，我们大爷这件事，实在叫二爷操心，大奶奶久已要亲自弄点什么儿谢二爷，又怕别人多心。二爷是知道的，咱们家里都是言合意不合，送点子东西没要紧，倒没的惹人七嘴八舌的讲究。所以今日些微的弄了一两样果子，一壶酒，叫我亲自悄悄儿的送来。』说着，又笑瞅了薛蝌一眼，道：『明儿二爷再别说这些话，叫人听着怪不好意思的。（『不好意思』，港台影视中常用语，『红』已有之。）我们不过也是底下的人，伏侍的着大爷，就伏侍的着二爷，这有何妨呢？』

薛蝌一则秉性忠厚，二则到底年轻，只是向来不见金桂和宝蟾如此相待，心中想到刚才宝蟾说为薛蟠之事，也是情理，因说道：『果子留下罢，这个酒儿，姐姐只管拿回去。我向来的酒上实在狠有限，挤住了，偶然喝一钟，平白无事，是不能喝的。难道大奶奶和姐姐还不知道么？』宝蟾道：『别的我作得主，独这一件事，我可不敢应。大奶奶的脾气儿，二爷是知道的：我拿回去，不说二爷不喝，倒要说我不尽心了。』薛蝌没法，只得留下。宝蟾方才要走，又到门口往外看看，回过头来向着薛蝌一笑；又用手指着里面说道：『他还只怕要来亲自给你道乏呢。』薛蝌不知何意，反倒讪讪的起来，因说道：『姐姐替我谢大奶奶罢。天气寒，看凉着。再者，自己叔嫂也不必拘这些个礼。』宝蟾也不答言，笑着走了。

薛蝌始而以为金桂为薛蟠之事，或者真是不过意，备此酒果给自己道乏，也是有的。及见了宝蟾这种鬼鬼祟祟、不尴不尬的光景，也觉了几分，却自己回心一想：『他到底是嫂子的名分，那里就有别的讲究了呢？或者宝蟾不老成，自己不好意思怎么样，却指着金桂的名儿，也未可知。然而到底是哥哥的屋里人，也不好……』忽又一转念：『那金桂素性为人，毫无闺阁理法，况且有时高兴，打扮得妖调非常，自以为美，又焉知不是怀着坏心呢？不然，就是他和琴妹妹也有了什么不对的地方儿，所以设下这个毒法儿，要把我拉在浑水里，弄一个不清不白的名儿，也未可知。』（这些笔墨，不像《红楼》，倒像《水浒》里描写淫妇的写法了。）想到这里，索性倒怕起来。正在不得主意的时候，忽听窗外『噗哧』的笑了一声，把薛蝌倒唬了一跳。未知是谁，下回分解。（整个说来，『红』对女性写得还是比较尊重体贴的。但这些笔墨则不同，实在是女人是祸水、女『性』最丑恶的极为愚昧的东方式的野蛮观念的形象化。）

事到如此，岫烟、薛蝌、宝蟾种种，只不过是疏散情节的闲笔罢了。黛玉虚惊几死，写得曲折有致。『救活』了，再『整死』，就更悲惨。凤姐照顾岫烟，则似是宝钗照顾岫烟的再现，当然已不如那次精彩。薛蝌之事，则提供不出什么艺术信息、艺术活气来了。再舒缓一步，使黛玉没有绝食而亡，而且随便写写薛蝌等人物。对于『红』的格局与节奏能把握到与前四十回无异，亦属难能。